# Skills for Better Writing
# ＜Basic＞

構造で書く英文エッセイ〈初級編〉

Yumiko Ishitani

NAN'UN-DO

# 1　構造で書く英文エッセイ

最近は大学入試や資格試験や留学などで英語でエッセイを書く需要が高まっています。どうやってエッセイを書いたらよいかよくわからないという学生向けに、エッセイライティングの基礎を築くことがこのテキストの目的です。個々の英文作成の技術を上げていくこともちろん大切ですが、書き手が一体どこを目指しているのかを明確にすることも大切です。多少英作の技術が足りなくても構成がしっかりしているエッセイであれば、言いたいことは伝わるはずです。

段落にはそれぞれの役割があるというのは日本文においても同じことなのですが、英文エッセイにおいてはよりその明確性が求められます。自分の考え方、伝えたいことをまず明らかにして、その論拠を述べていき、ゆえにこういう意見になったのだ、ということを論理的に書くのが英文エッセイです。エッセイの目標を決めたら、そこから外れないように書き進めなければなりません。そのためにまず全体の構成を作ることが大切で、エッセイを書き始める前に構造図を書いておくことを勧めます。各パラグラフが全体の中でどういう意味を持つのかを明らかにしてから書き始めます。常にその構造図に従いながら、無駄なことは書かないようにします。「エッセイの目標を明らかにし、その目標に向かってまっしぐら」が英文エッセイで最も大事なことです。

英語４技能のうち、reading と listening はインプット、writing と speaking はアウトプットと言われます。どちらが先かというのは自明のことです。インプットがなければアウトプットは不可能だからです。「～について書け」と言われても基礎知識がなければ書けません。Reading 作業をしっかりとやって、様々な表現を頭に入れます。また、いくら理論を教えられてもそれだけでは「書け」と言われても書けません。「例」や「模範」があって初めて具体的に書くことができます。本書では、まず「模範」となる短いエッセイを読むことから始めます。そこで自分が書こうとするエッセイの基礎を学びます。基本的な表現を盗んでください。次に、日本語で書かれたエッセイを英語で書いてみます。これが自分でエッセイを書くタスクにつながる良いクッションとなるはずです。１本エッセイを書いてみることで自信が持てます。そして最終段階が、与えられたエッセイタイトルで自分でエッセイを書くことです。この段階を踏むことでエッセイが書けるようになるはずです。

本書は Basic なので、読むエッセイ、書くエッセイもエッセンスだけを心がけました。まずは核を固めて、その上でさらに上のものを目指してください。先に刊行されている Skills for Better Reading: Basic は、構造で英文エッセイを読むことを目的にしておりますが、各課が本書とシンクロしておりますので、ライティングの模範エッセイとして使用することができます。

最後に、このテキストは「自分の身近なものについての意見を書いてみる」ことを目標としていますので、「読み物」も「書くもの」も日本での話題を中心として選んでおります。英語でのエッセイは、自分の社会のことを外国人に教えることが多いからです。

英文チェックは Chris Bullsmith さんにおねがいしました。

## 2 本書の使い方

本書はそれぞれの課が6ページ構成になっています。

**1** 第1ページの構造図で､エッセイのおおまかな構造を掴んでください。ひとつのエッセイがどういう流れで構成されているのかに着目してください。

**2** 第2ページで、そこで取り扱われる構成パターンを使った読みもの（A. Model Essay）があります。テーマとなっている構造を頭に入れながら読んでください。概要をまとめる空白の構成図がありますので日本語で簡単にポイントを記入して全体の流れをつかんでください。

**3** 第3ページでは、その課の課題エッセイを書く際に役に立つ表現をまとめてあります。

**4** 第4・5ページは、日本語で出来上がっているエッセイを英語にしてみる練習です。日本語にガイドされながら、エッセイを1本書いてみることで、次の最終的タスクにつなげていきます。

**5** 最後に、第6ページで、自分自身でエッセイを書いてみるタスクがあります。エッセイタイトルについては、こちらから提示されているものもありますし、自分で書きたいものを書いてもいいです。

エッセイライティングは、英語の集大成とも言えます。最初から「難しい」と諦めず、上の手順を踏んでいけば、簡単なエッセイを書くことができるようになります。簡単でも一つまとまったものが書けたなら、あとはどんどん情報をを付け加えて、さらに高みを目指してください。

Download Audio

音声ファイル
無料 DL
のご案内

このテキストの音声を無料で視聴（ストリーミング）・ダウンロードできます。自習用音声としてご活用ください。
以下のサイトにアクセスしてテキスト番号で検索してください。

**https://nanun-do.com**　テキスト番号［ **512059** ］

※ 無線 LAN（WiFi）に接続してのご利用を推奨いたします。

※ 音声ダウンロードは Zip ファイルでの提供になります。
お使いの機器によっては別途ソフトウェア（アプリケーション）の導入が必要となります。

# 3 ここで扱う４つのエッセイパターン

このテキストでは、エッセイのパターンを次の４つの型に分けています。

1. 意見サポート型
2. パラグラフ並列型
3. 直線型
4. 異質パラグラフ型

それぞれのパラグラフがそれぞれのエッセイの中でどのような役割を果たすかということについて、以下に図示します。

### ◎ 第１のパターン：意見サポート型

**Unit 1 〜 3**

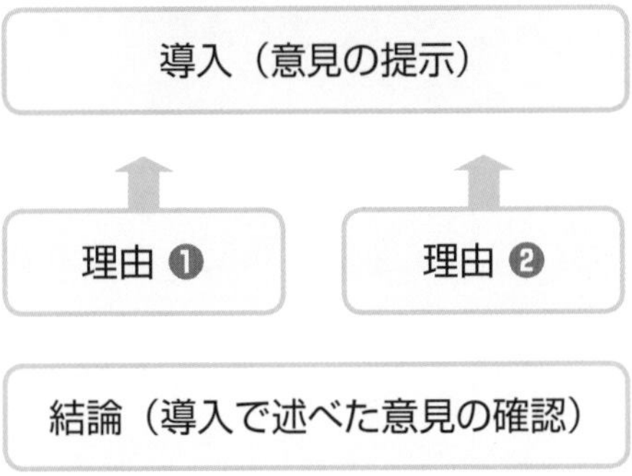


最初に自分の意見を明確にし、それを支える理由をその後の段落で述べていくパターン。最後の段落では最初に述べた意見をもう一度確認します。このテキストでは、①〜③ 課で次の３種類を提示します。

① **結論・理由**
② **社会事象の説明**
③ **結果・原因**

### ◎ 第２のパターン：パラグラフ並列型

**Unit 4 〜 7**

トピックを説明するいくつかのパラグラフがそれぞれ同じ重要性をもって並列に配置されるエッセイパターンです。それぞれのパラグラフは相対関係にあります。このテキストでは、④〜⑦ 課で次の４種類を提示します。

④ **複数の意見**
⑤ **比較**
⑥ **賛成・反対**
⑦ **分類**

## ◎ 第３のパターン：直線型

時間の流れに沿って順に説明をしていくものです。このテキストでは、⑧〜⑩ 課で次の３種類を提示します。

⑧ **歴史**
⑨ **過程**
⑩ **原因ー結果**

## ◎ 第４のパターン：異質パラグラフ型

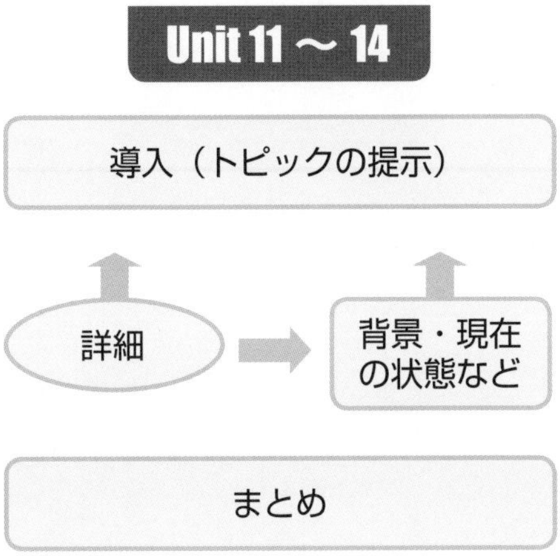


役割の違う複数のパラグラフで構成するエッセイパターンです。このテキストでは ⑪〜⑭ 課で次の４種類を提示します。

⑪ **言葉の定義**
⑫ **調査**
⑬ **新製品**
⑭ **グラフ**

# Contents

## Part I



## Part II

# Part I

## 第1のパターン：意見サポート型

## （Unit 1 〜 3）

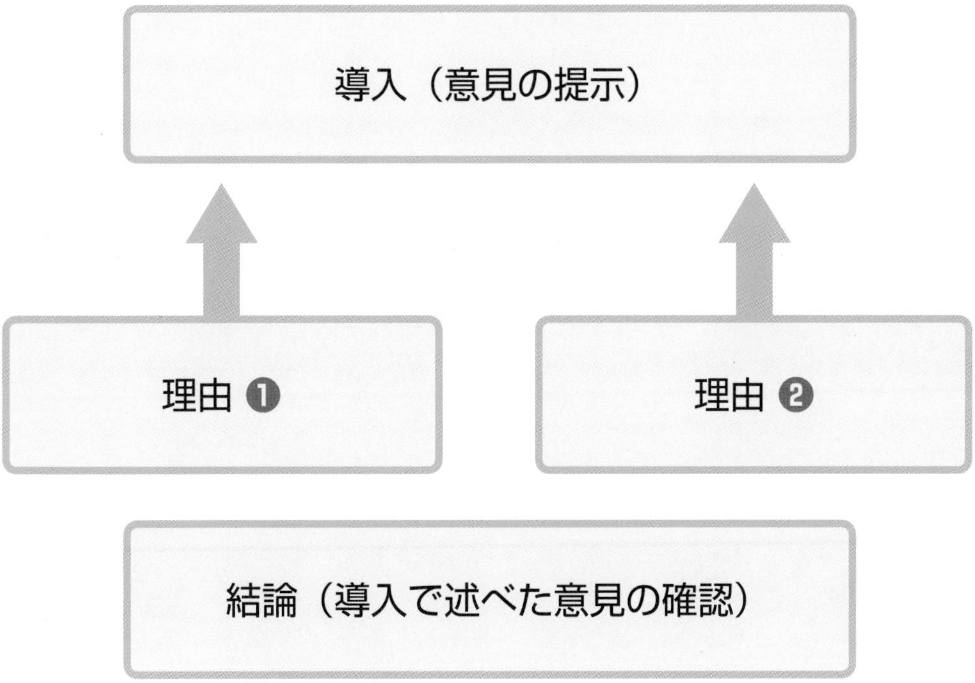


最初に自分の意見を明確にし、それを支える理由をその後の段落で述べていくパターン。最後の段落では最初に述べた意見をもう一度確認します。このテキストでは、①〜③ 課で次の３種類を提示します。

**① 結論・理由**
**② 社会事象の説明**
**③ 結果・原因**

Conclusion / Reasons

# 1

# 理由で押し切る！

## ●エッセイ構成

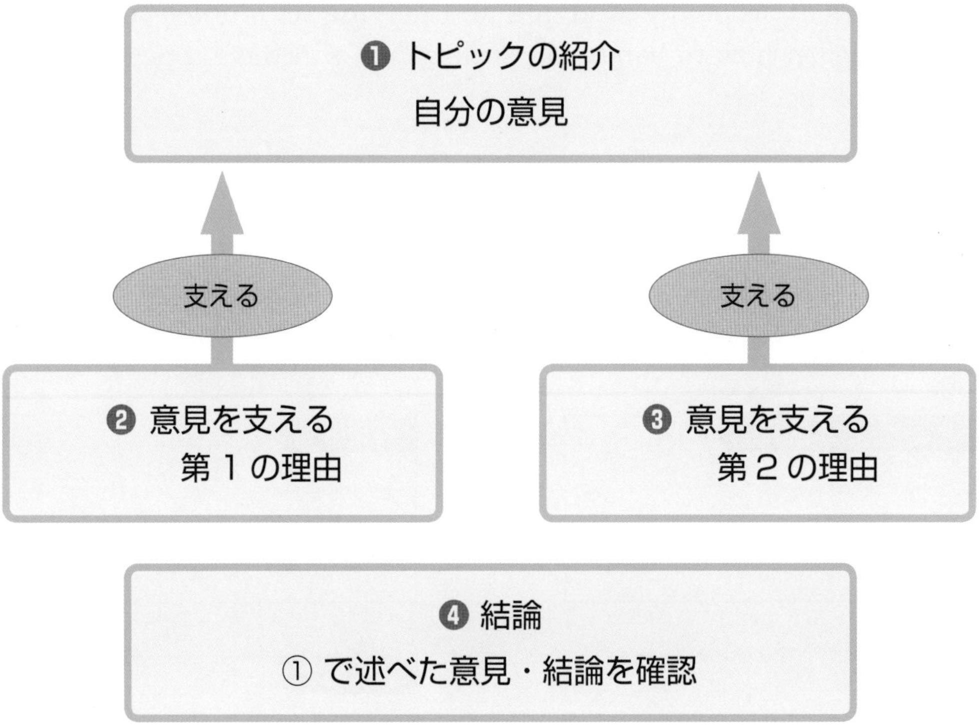


論議をよんでいる問題について、「賛成だ」または「反対だ」として自分の意見を明確にして、それを正当化するために、いくつかの理由を出し、最後に「こういうわけで自分はこの結論に達した」と締めるエッセイです。欧米の大学のレポートを書く上で、またTOEFLやIELTSのテストで役立つ基本的なパターンですのでしっかりマスターしましょう。

## A Model Essay

**Are schools necessary?**

1 Some people say there are many problems with the school system. However, I support this system for the following two reasons.

2 The first reason is that children can get basic knowledge and skills to live in society. Any child can learn at school for free, even if he is poor or lives in the countryside.

3 The second reason is that children can be socialized. They learn social rules at school by studying and playing with other children. If children learn how to behave in society, we will have a peaceful and comfortable society.

4 For these reasons, we need schools, even if it costs a lot for the government.

上のエッセイを読んで、次の表を完成させ、ポイントを整理しなさい。

① トピック・自分の意見

② 理由 1

③ 理由 2

④ 結論

**Notes**

2 for free 無料で

3 be socialized 社会化する　behave ふるまう　comfortable 快適な

## Useful Expressions

### [1] 自分の立場を明確にする。

1. 「～という意見［考え / 主張］に私は賛成である」
I support [agree with / am for] the opinion [idea / statement] that S+V.

2. 「～という考えに私は反対である」
I oppose [disagree with / am against] the idea that S+V.

3. 「多くの［何人かの］人がこの考えに賛成だが、それでも私はこの考えに反対する」
Many [Some] people support this idea, but I am still against this idea.

4. 「次に述べる理由から私はこの考えに賛成する」
I support this idea for the following reasons.

### [2] [3] 自分の立場を支持する理由

1. 「最初の理由は～」「第二の理由は～」
The first reason is N.　　（N は名詞）
The first reason is that S+V.　　（S+V は文）

2. 「まず～」「次に～」
First, S+V.
Second, S+V.

### [4] 自分の立場をもう一度確認

1. 「こうした理由から私は～だと思う」
For these reasons, I think S+V.
These are the reasons why I think S+V.

## 英文エッセイの書き方

エッセイを書く場合、まだ慣れていない時には次のようなエッセイ・プランをまず作っておくことを勧めます。それぞれのますがそれぞれの段落を表しています。英文エッセイの場合、それぞれの段落が目的をはっきり持っていて、そこから外れてはいけないのです。

| |
|---|
| ① 序論 |
| ② ボディ 1 |
| ③ ボディ 2 |
| ④ 結論または結び・まとめ |

それぞれの段落の目的を簡潔にメモしておきましょう。エッセイを書く紙の隅にこのエッセイ・プランを書き付けておけば、自分が今何を書いているのか常に意識して書き進めることができます。書いているうちにあれも書きたい、これも書こうとして、その段落の目的から外れてしまうことはよくあること。常に「この段落の目的に外れていないか」を意識しながら書いていくことは、全体的に論理的なエッセイを書く助けとなります。

まず一番上の段落が「序論」、そして一番下の段落が「結論または結び」です。あくまでもエッセイの母体は第２段落から始まる「ボディ」なので、序論、結論の段落はなるべく簡潔に書きましょう。

「序論」はエッセイで取り上げるトピックの導入になります。「～が最近人気である」「～が今深刻な社会問題となっている」「～という言葉を知っていますか？」など。また、「このエッセイで私は～を明らかにしたい」といった自分の意見、立場を明らかにするやり方もあります。

「ボディ」は言葉通りエッセイの「本体」となります。エッセイがどういう目的を持っているかに応じてボディの役割も違ってきます。本書ではエッセイ目的を４つに分けています。

| エッセイの型 | ボディの役割 |
|---|---|
| 意見サポート型 | 意見を支える「理由」・「要素」 |
| 並列型 | トピックに基づいた「例」、比較の対象物など |
| フロー型 | 時間的経過による「段階」「流れ」 |
| 異次元型 | 違った角度からトピックを説明 |

「結論・まとめ」は締めです。ボディだけでエッセイを終わると何だか締まりません。意見サポート型であるならば、自分の意見をもう一度強調する。そのほかのエッセイでは、何かしらトピックに関係することを述べてまとめとする。そのまとめの例としては、「我々はますますこのことを考えてみなければいけない」「これからどのようになっていくのか？」「これは重要な問題である」などがある。

## 「賛成か反対か」のエッセイの書き方

エッセイを書く場合に最も大事なことは「ブレない」ことです。特に「賛成か反対か」のエッセイについては、「Yes」か「No」かを序論でまず明確にし、結論でも最初に表明した「Yes」か「No」かの意見を確認します。この種類のエッセイ構造図を以下に示します。

まず一番上の段落の枠「序論」には、「Yes」か「No」か自分の意見を入れます。次に一番下の段落の枠「結論」に、序論で下したYesかNoかの自分の意見をもう一度入れます。序論でYesと書いたなら、結論でもYesです。序論でNoなら、結論でもNoです。これは絶対に間違えないでください。

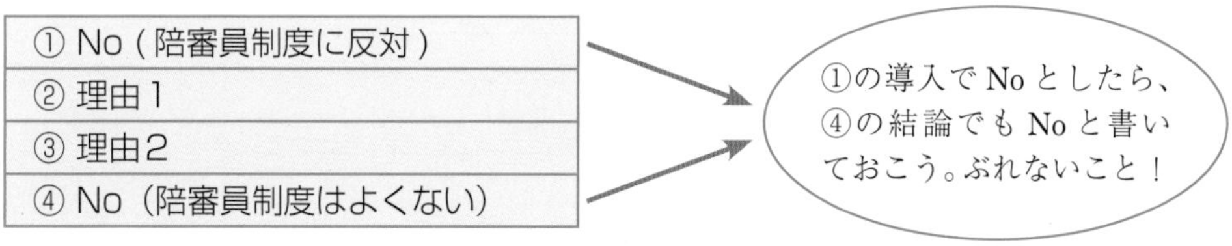


NoかYesか決まったら、次はその理由づけです。Noと決めたら、その意見を支える理由を２、３考えましょう。Yesと決めたら、その意見を支える理由をやはり２、３考えましょう。それぞれの理由がBody1、Body2となります。

**＊ 自分の意見と反対の意見にも少し触れよう！**

NoなのかYesなのか明確にすることが最も大事なのですが、自分が下した意見と反対の意見も出しておくと「バランスのとれたエッセイ」という印象を与えます。短いエッセイでは「序論」で触れておくのが一番良いでしょう。

「～について、・・・という理由で賛成する人もいる」（自分と反対意見の紹介）
→「しかし私は次のような理由で～には反対する」

と持っていけばバランスのとれたエッセイとなるでしょう。日本人がよくやってしまうまちがいは、判断つきかねて、YesとNoの両方を同時に書いてしまうことです。問題文が「賛成意見と反対意見を書きなさい」ならこれでもいいのですが、「賛成ですか？反対ですか？」ときかれたら、どちらかの意見を選び、そちらをメインにして書かなければいけません。

## B Writing Task

日本語に従って、次のエッセイを英語にしてみよう。下のエッセイ・プランを意識しながら書いてみよう。

**Essay Title** Should university entrance examinations be kept?

エッセイ・プラン：

| |
|---|
| 1 トピック・自分の考え<br>Yes: 大学入試は必要。 |
| 2 理由 1<br>誰にとっても公平。 |
| 3 理由 2<br>成長のためには試練が必要。 |
| 4 結論<br>Yes: 大学入試は必要。 |

1 ① 大学入試は廃止される（be abolished）べきだという人がいる。

② この制度には多くの問題がある。

③ しかし次のような理由からこの制度を私は支持する。

2 ④ 最初の理由は、入試制度は全ての人に公平であるからである。

⑤ 努力をする人は報われ（be rewarded）るべきである。

3 ⑥ 第二の理由は、大学入試が子供たちを成長させるからである。

⑦ 成長するためには、子供たちは何らかの試練（hardship）が必要である。

⑧ 彼らは自分たちの将来のために一生懸命勉強する。

⑨ そして彼らは努力の重要性を認識するだろう。

4 ⑩ こうしたことが私が大学入試を支持する理由である。

**Notes**

1 ①「～だと言う人がいる」 some people say that S+V　「廃止する」 abolish
「大学入試」 university entrance examinations
②「～には問題がある」 there are some problems with ～
③「次のような理由ゆえに」 for the following reasons

2 ④「入試制度」 the entrance examination system　「～に公平である」 be fair to ～
⑤「努力をする」 make efforts　「報われる」 be rewarded

3 ⑥「成長させる」 make ～ grow up
⑦「試練」 hardship
⑨「認識する」 recognize

4 ⑩「こうしたことが～する理由である」 these are the reasons why S+V

## C オリジナル・エッセイの作成

次のエッセイ・タイトルでエッセイを書いてみよう。

1. Should Japanese national universities be tuition free?
2. Should the number of vending machines in Japan be reduced?
3. Should Japanese workers have more holidays?
4. Now many women take maternity leave before and after giving birth. Is paternity leave necessary for men?
5. Make up your own essay topic.

☆ 上のエッセイ・タイトルのうち、ひとつを選んで、それについて、Yes と No の両方の立場のエッセイ・プランを書いてみよう。

① 選んだエッセイ・タイトル［　　］

② エッセイ・プランの作成

A

| Yes |
|---|
| |
| |
| Yes |

B

| No |
|---|
| |
| |
| No |

③ プランを選ぶ。

A と B を比べてどちらが書きやすいか考えてみる。書きやすい方を選んで、それを自分の立場とする。

④ エッセイの作成

Useful Expressions を利用しながら、あなたのオリジナル・エッセイを書いてみましょう。

Social Trend

2

# 社会事象を説明する

## ●エッセイ構成

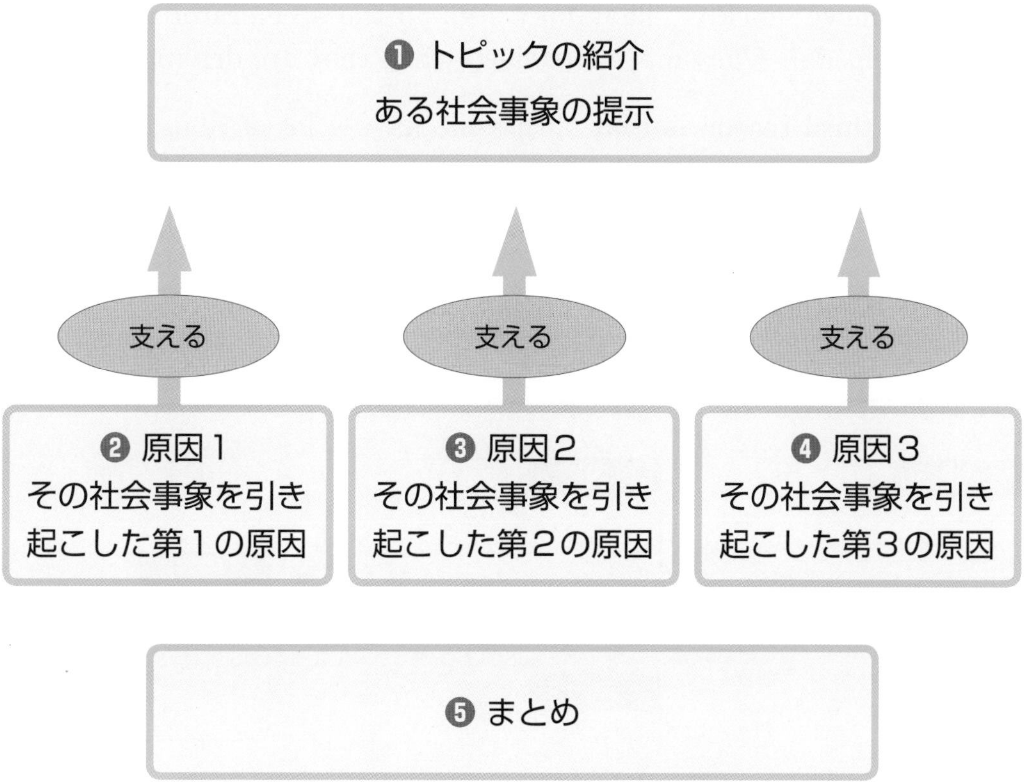


トピックとなる社会事象を紹介し、その事象が現れた社会的原因・背景をいくつか提示していくパターンです。それぞれあげる原因が、トピックとなる社会事象を説明し、支える構成となっています。

## A Model Essay

### Aging society, aging drivers

1 The number of traffic accidents caused by old people is increasing. Why?

2 The first reason is that the number of old people is increasing in Japan. More and more old people are driving cars and this means more accidents.

3 The second reason is that old people can't recognize the decline in their driving skills. They think they can drive well, but their body does not move quickly. They may step on the accelerator instead of the brake pedal. They may fall asleep while they are driving.

4 The third reason is that old people have a lot of time to drive a car. After retirement, they have more time to go outside and use a car.

5 I think the government should do something to solve this problem.

上のエッセイを読んで、次の表を完成させ、ポイントを整理しなさい。

① 社会事象 → ② 原因1 → ③ 原因2 → ④ 原因3 → ⑤ まとめ

**Notes**

aging society「高齢化社会」

3 recognize「認識する」 decline「衰え」 step on ～「～を踏む」 accelerator「アクセル」 brake pedal「ブレーキ」 fall asleep「眠りに陥る」

4 retirement「引退・退職」

## Useful Expressions

### 1 社会事象の紹介

**1.** 「～の数が減っている」
The number of children is decreasing [declining / falling].

**2.** 「～の数が増えている」
The number of traffic accidents is increasing [rising].
More and more people are going abroad.

**3.** 「B の間で A が今人気である」
A is now popular among B.

### 2 3 その社会事象を引き起こす要因

**1.** 「最初の理由［要因／要素／説明］は～である」
The first reason [factor/element/explanation] is that S+V.

### 4 まとめ・コメント

**1.** 「これらが～する理由である」
These are the reasons why our society is aging.

**2.** 「政府はこの問題を解決するために何かすべきだ」
The government should do something to solve this problem.

＊ 最後の段落では、ちょっとしたコメントを述べればいいのですが、思いつかない場合は、「これらがこの社会現象をひきおこしている理由である」と締めましょう。

## B Writing Task

日本語に従って、次のエッセイを英語にしてみよう。下のエッセイ・プランを意識しながら書いてみよう。

**Essay Title:** The number of books is declining

エッセイ・プラン：

| |
|---|
| 1 トピック<br>本が減っている。 |
| 2 理由１<br>インターネットや携帯の発達 |
| 3 理由２<br>家に本を置くスペースがない |
| 4 結論<br>こうした理由で本が減っている |

1 ① 本の数は減っており、書店の数もまた減っている。

② なぜか？

2 ③ 最初の理由は、インターネットと携帯電話の発達（the development）と共に、人々はオンラインで本を読む傾向にあることである。

④ 本からよりもオンラインで情報やニュースを得る人が増えている。

3 ⑤ 第二の理由は、人々は本のための十分なスペースを持っていないということである。

⑥ 日本人は読書好きであるが、家に本のための十分なスペースがない。

⑦ 現在、人々は自分のコンピュータの中に書棚（bookshelves）を持っているのである。

4 ⑧ これらが人々が本を持たない理由なのである。

**Notes**

2 ③「～の発達とともに」 with the development of ～　「～する傾向にある」 tend to V
「オンラインで」 online
④「本から」 from books　「～よりも」 rather than ～

3 ⑥「家に」 at home
⑦「書棚」 bookshelves

## C オリジナル・エッセイの作成

次のエッセイ・タイトルでエッセイを書いてみよう。

1. “Line” is very popular among young people.
2. “Instagram” is very popular among young people.
3. “Share house” is now becoming popular among young people.
4. “The Digital Divide” is now a social problem.
5. Make up your own essay topic.

＊ The Digital Divide: インターネットなどを利用できる者とできない者の間の格差。

☆ 上のエッセイ・タイトルのうち、ひとつを選んで、エッセイ・プランを書いてみよう。

① 選んだエッセイ・タイトル［　　］

② エッセイ・プランの作成

| |
|---|
| 社会事象の提示 |
| 要因 1 |
| 要因 2 |
| まとめ |

Result / Cause

3

# 原因を究明する

## ●エッセイ構成

❶ トピックの紹介

❷ 結果
ある事象・事件・問題

支える

❸ 原因
それを引き起こした原因

❹ まとめ

## A Model Essay

### Adults in Japan become younger

1 The government decided to lower the age of adulthood from 20 to 18.

2 Under this new law, both men and women over 18 can marry. New adults can apply for credit cards and loans, although they can't drink, smoke, or gamble before 20.

3 Why was this system introduced? The first reason is that in many countries, the age of adulthood is 18. The second reason is that the government thought that young people should think about Japan's future and should participate in the economy and politics as early as possible.

4 Can young people find the answer to various problems?

上のエッセイを読んで、次の表を完成させ、ポイントを整理しなさい。

① トピック → ② 結果

↓

④ まとめ ← ③ 原因

**Notes**

1 lower 下げる　adulthood 成人
2 apply for ～ ～に申し込む　loan 借金・ローン　gamble「ギャンブルする」
3 introduce 導入する　participate in ～ ～に参加する　politics 政治
as early as possible できるだけ早く

## Useful Expressions

### 1 トピックの提示

トピックの詳しい説明は第二段落で行うので、ここではトピックを簡潔に要約するか、トピックに導く読者への問いかけでも良い。

**1.**「政府は成人年齢を 20 歳に引き下げることに決めた」
The government decided to lower the age of adulthood to 18.

**2.**「あなたは 18 歳は十分大人だと思いますか？
Do you think 18 years old is mature enough?

### 4 まとめ・コメント

トピックに関連した要約またはコメント。これからどうなるのか？という将来の展望でもよい。

**1.**「若者はこの問題を解決できるのだろうか？」
Can young people find the answer to this problem?

**2.**「英語は永遠に世界言語であり続けるのか？」
Will English be the world language forever?

## B Writing Task

日本語に従って、次のエッセイを英語にしてみよう。下のエッセイ・プランを意識しながら書いてみよう。

**Essay Title:** Why is English the world language now?

エッセイ・プラン：

| |
|---|
| 1 トピック<br>英語は世界言語と考えられている。 |
| 2 結果<br>英語は現在最も力のある国際言語である。 |
| 3 原因<br>イギリスが 19 世紀に大英帝国になったこととその後アメリカが大国になったこと。 |
| 4 まとめ<br>アメリカが力を失ったら英語も衰える？ |

1 ① 世界のほとんどの人が英語は世界言語であると思っている。

2 ② 英語は今や最も強力な国際語である。

③ それは学校で、職場で、インターネットで、使われている。

④ なぜ私たちはフランス語や中国語ではなく英語を使うのか。

3 ⑤ なぜならば、イギリスが19世紀に帝国になったからである。

⑥ 英語は大英帝国の政治的、経済的、文化的な力で世界に広がったのである。

⑦ 大英帝国が消えた後、アメリカが世界で最強の国として現れた。

⑧ アメリカが英語をさらに強力にしたのである。

4 ⑨ もしアメリカがその力を失ったら、英語もまたその力を失うのだろうか？

**Notes**

1 ①「世界言語」 the world language
2 ②「強力な」 powerful 「国際語」 an international language
③「職場で」 at work 「インターネットで」 on the Internet
3 ⑤「何故ならば」 it is because..... 「帝国」 an empire
⑥「大英帝国」 the British Empire 「～の経済的力で」 with the economic power of ～
⑦「消える」 disappear 「現れる」 appear 「強力な」 powerful
4 ⑨「その力を失う」 lose its power

## C オリジナル・エッセイの作成

次のエッセイ・タイトルでエッセイを書いてみよう。

① Why did the Japanese government start “free high school education”?

The Japanese government started “free high school education” in 2010. Public high school students don’t have to pay money for school, while private high school students have to pay, but less than before. Why did the government start this system?

Causes: **1. Declining birthrate.**
**2. Almost all students go to high school in Japan.**

② Make up your own essay topic.

☆ 上のエッセイ・タイトルのうち、ひとつを選んで、エッセイ・プランを書いてみよう。

① 選んだエッセイ・タイトル [ ]

② エッセイ・プランの作成

| |
|---|
| トピック |
| 結果 |
| 原因 |
| まとめ |

# Part II

## 第2のパターン：パラグラフ並列型

## （Unit 4 ～ 7）

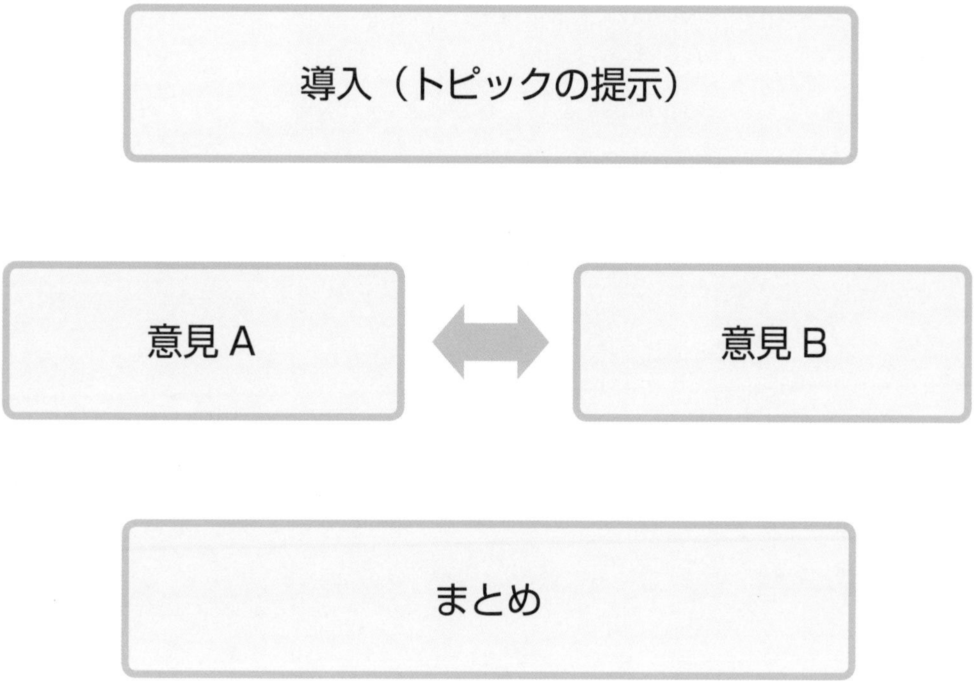


トピックを説明するいくつかのパラグラフがそれぞれ同じ重要性をもって並列に配置されるエッセイパターンです。それぞれのパラグラフは相対関係にあります。このテキストでは、④～⑦ 課で次の４種類を提示します。

④ **複数の説明**
⑤ **比較**
⑥ **賛成・反対**
⑦ **分類**

Several Explanations

# 4

# いくつかの説明

## ●エッセイ構成

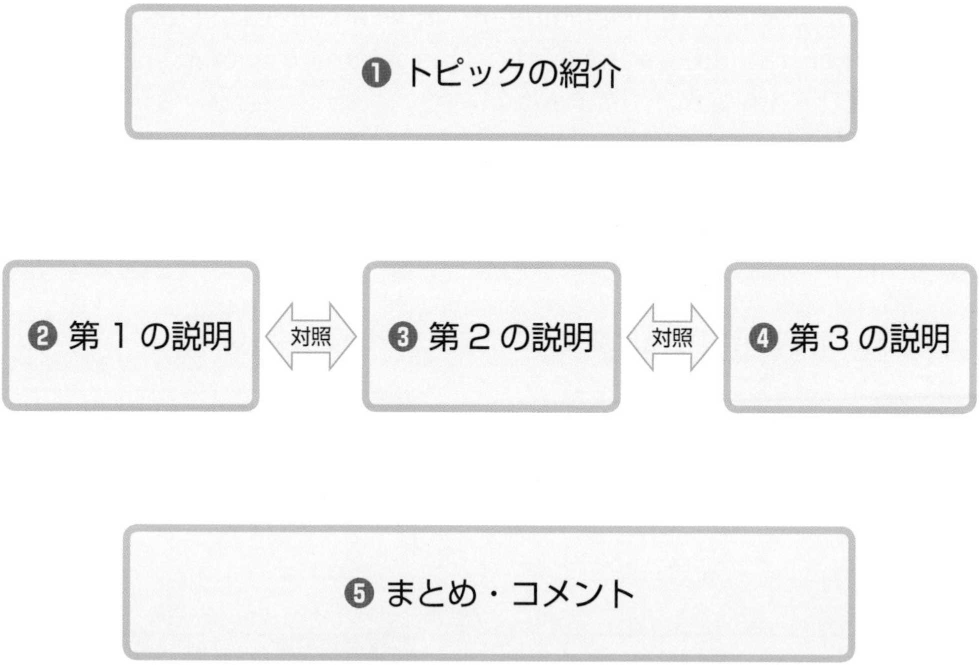


不思議な自然現象、社会現象、歴史的出来事などを取り上げて、それがなぜ起きたのかについて巷で言われている噂を紹介するエッセイです。

## A Model Essay

**Why did the dinosaurs die out?**

1 Dinosaurs existed on the earth but suddenly died out 65.5 million years ago. There are some theories on why they died out.

2 The first theory is climate change. At the time of their disappearance, the earth was slowly becoming cooler. Because the dinosaurs were cold-blooded, they could not survive in cold climates.

3 The second theory is that their disappearance was due to a comet hitting the earth. Some researchers discovered a layer of iridium, an element that is common only in comets. This layer was formed when the dinosaurs died. This means a comet fell onto the earth and the dinosaurs died out.

4 There are many other theories, but the disappearance of the dinosaurs is still a mystery.

上のエッセイを読んで、次の表を完成させ、ポイントを整理しなさい。

① トピック → ② 説明1

↓

④ まとめ ← ③ 説明2

**Notes**

dinosaur 恐竜　die out 絶滅する
1 exist 存在する　theory 理論
2 disappearance 消滅　cold-blooded 冷血の
3 due to ～ ～のせいで　comet 彗星　layer 層　iridium イリジウム　element 元素
form 形成する

## Useful Expressions

### 1 トピックの紹介

いくつか説明があることを示す。

**1.**「この現象にはいくつかの可能性のある説明［理論］がある」

There are several possible explanations [theories] for this phenomenon.

### 2 3 4 いくつかの説を順に述べていく

**1.**「最初の（第二の／第三の）説は〜である」

The first [second/third] explanation [theory] is that S+V.

**2.**「なぜならば、〜だからである」

It is because S+V.

* Because S+V. は使わないこと。Because 節だけ単体で使うことはしない。

○ Because English is popular, it is called the world language.

× English is called the world language. Because it is popular.

○ English is called the world language.  It is because English is popular.

### 5 まとめ・コメント

**1.**「この現象には他にも説明がある」

There are some other explanations for this phenomenon.

**2.**「〜は未だに謎のままである」

The disappearance of the dinosaurs is still a mystery.

## B Writing Task

日本語に従って、次のエッセイを英語にしてみよう。下のエッセイ・プランを意識しながら書いてみよう。

**Essay Title:** Nazca lines

エッセイ・プラン：

| |
|---|
| 1 トピック<br>ナスカの地上絵 |
| 2 説明1<br>神様に通じる道 |
| 3 説明2<br>天体観測の目的 |
| 4 まとめ<br>まだ謎のままである |

1 ① ペルーにあるナスカの地上絵は地面の上に引かれたいくつかの白線である。

② なぜこれらの線が引かれたのか人々は常に不思議に思って（wonder）きた。

③ これらの線にはいくつかの可能性のある説明がなされている。

2 ④ 最初の説明は、こうした線は神と関係があった（be linked to ～）というのだ。

⑤ 人々は神が地上を空から見ることができるようにこれらの線を作った。

⑥ それらの線は天国への道として使われたと思っている人もいる。

**3** ⑦ 第二の説明は、それらの線は観測所（an observatory）として作られたというものである。

⑧ 古代の人々はそれらの線を星の動きを観察するために用いた。

**4** ⑨ ナスカの地上絵の説明は他にもあるが、それらは未だに謎なのである。

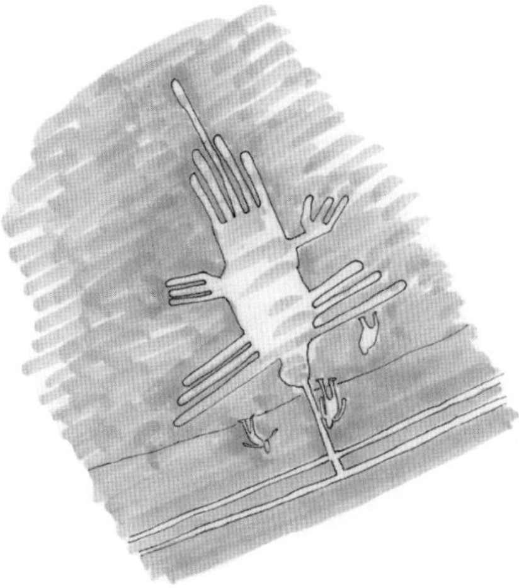

**Notes**

**1** ①「ナスカの地上絵」 the Nazca Lines　「ペルー」 Peru　「引く」 draw
②「不思議に思う」 wonder
③「可能性のある」 possible

**2** ④「～と関係がある」 be linked to ～
⑤「地上」 the earth　「S が～できるように」 so that S can ～
⑥「～として使われる」 be used as ～　「天国への道」 paths to heaven

**3** ⑦「観測所」 observatory
⑧「古代の」 ancient　「観察する」 observe　「動き」 movements

## C オリジナル・エッセイの作成

次のエッセイ・タイトルでエッセイを書いてみよう。

1. Why were the pyramids in Egypt built?
2. Why was Stonehenge in England built?
3. Why were the Easter Island giant heads built?
4. Why is soccer so popular in the world?
5. Why did the Tokugawa Bakufu disappear?
6. Why are Japanese people shy?
7. Why can't Japanese people speak English?
8. Make up your own essay topic.

☆ 上のエッセイ・タイトルのうち、ひとつを選んで、エッセイ・プランを書いてみよう。

① 選んだエッセイ・タイトル［　　］

② エッセイ・プランの作成

| |
|---|
| トピック |
| 説明1 |
| 説明2 |
| 説明3 |
| まとめ |

# Comparison

# 5

# 比べてみよう！

## ●エッセイ構成

❶ トピックの紹介

❷ 比較対象物 A ⇔ 対照 ⇔ ❸ 比較対象物 B

❹ まとめ・コメント

「この二つはどう違うんだろう？」と思ったことはありませんか？ここでは、比較対象物ＡとＢをそれぞれ別のパラグラフで説明し、比較対照しています。この他に、「類似点」、「相違点」と分けてパラグラフ分けをする方法もあります。

## A Model Essay

### Oxford and Cambridge

1 Oxford and Cambridge are the top universities in UK.

2 Oxford University was established in 1096, the oldest university in UK. There is not so much difference between Oxford and Cambridge in academic level, but people usually say Oxford is stronger in politics and the humanities than Cambridge. Oxford has produced more politicians and governmental officials than Cambridge. Adam Smith, Jeffery Archer, Margaret Thatcher, and Tony Blair are Oxford graduates.

3 Cambridge University was established in 1209. People say Cambridge is stronger than Oxford in sciences. Cambridge has produced about 100 Nobel Prize winners, while Oxford has produced about 50 (according to 2017 data). Charles Darwin, Isaac Newton and John Maynard Keynes are Cambridge graduates.

4 Oxford and Cambridge are very attractive universities and you should visit them someday.

上のエッセイを読んで、次の表を完成させ、ポイントを整理しなさい。

① トピック → ② オックスフォード大学 → ③ ケンブリッジ大学 → ④ まとめ

**Notes**

2 establish 設立する　the humanities 人文科学　produce 輩出する　politician 政治家　governmental official 官僚　graduate 卒業生

3 Nobel Prize winners ノーベル賞受賞者　4 attractive 魅力的な

## Useful Expressions

**1** 比較する対象物の紹介

**1.** 「A と B は類似している」
A is similar to B.

**2.** 「A と B はいくつかの点で異なっている」
A is different from B in some points.

**3.** 「A は B とそのスタイルで異なっている」
A is different from B in its style.

**4.** 「A と B はそれほどの違いはない」
There is not so much difference between A and B.

**2** **3** 比較対象物それぞれの説明

**1.** 「Oxford はせわしい。対照的に Cambridge は静かだ」
Oxford is busy. In contrast, Cambridge is calm.

**2.** 「Oxford は 1096 年創立で、他方 Cambridge は 1209 年創立だ」
Oxford was established in 1096, while Cambridge was established in 1209.

**3.** 「Cambridge は科学の分野で Oxford よりも優れている」
Cambridge is stronger than Oxford in sciences.

**4** まとめ・コメント

**1.** 「このように、A と B は違う」
Thus [In this way], A is different from B.

## B Writing Task

日本語に従って、次のエッセイを英語にしてみよう。下のエッセイ・プランを意識しながら書いてみよう。

**Essay Title:** Tokyo University and Kyoto University.

エッセイ・プラン：

| | |
|---|---|
| 1 | トピック<br>東京大学と京都大学 |
| 2 | 比較対象物１<br>東京大学　最古。多くの官僚や政治家を輩出。 |
| 3 | 比較対象物２<br>京都大学　より多くのノーベル賞受賞者を出している。独立・自由な雰囲気。 |
| 4 | まとめ<br>オックスフォードとケンブリッジとの関係に似ている。 |

1 ① 東京大学と京都大学は日本のトップ大学である。

② それらはどのように違っているのか？

2 ③ 東京大学は 1886 年に設立された。

④ それは日本で最も古い大学である。

⑤ 東京大学は京都大学より多くの官僚や政治家を輩出してきた。

3 ⑥ 京都大学は 1897 年に設立された。

⑦ それは科学部門のいくつかで東京大学よりも優れている。

⑧ 京都大学は科学において、より多くのノーベル賞受賞者を輩出してきた。

⑨ 人々は東京大学は日本のトップ大学だと言うが、京都大学はその学術的独立性と自由な雰囲気を誇っている。

4 ⑩ 東京大学と京都大学の関係は Oxford 大学と Cambridge 大学の関係に似ている。

東京大学　京都大学

**Notes**

2 ③「設立する」 establish
⑤「官僚」 governmental officials　「政治家」 politicians　「輩出する」 produce

3 ⑦「～に優れている」 be strong in ～
⑧「ノーベル賞受賞者」 Nobel Prize winners
⑨「学術的独立性」 academic independence　「自由な雰囲気」 free atmosphere
「～を誇る」 be proud of ～
⑩「A と B の関係は C と D の関係に似ている」 the relationship between A and B is like that between C and D.

## C オリジナル・エッセイの作成

次のエッセイ・タイトルでエッセイを書いてみよう。

1. Tokyo and Kyoto.
2. Paris and London.
3. Soccer and baseball.
4. Steve Jobs and Bill Gates.
5. A western-style hotel and a traditional Japanese Inn (ryokan).
6. Make up your own essay topic.

☆ 上のエッセイ・タイトルのうち、ひとつを選んで、エッセイ・プランを書いてみよう。

① 選んだエッセイ・タイトル［　　］

② エッセイ・プランの作成

| |
|---|
| トピック |
| 比較対象物１ |
| 比較対象物２ |
| まとめ |

For and Against

6

# 賛成と反対

## ●エッセイ構成

❶ トピックの紹介
論議をよんでいる問題の紹介

❷ 賛成意見 ⇔（対照）⇔ ❸ 反対意見

❹ まとめ・コメント

論議をよんでいる問題をとりあげ、それに賛成する立場からの意見、それに反対する立場からの意見を紹介します。Part1 の第 1 課（理由で押し切る）は、まずどちらの立場に立つかを明確にし、それを論証するものですが、本課のエッセイパターンは、自分の立場は明確にする必要はなく、客観的に賛成、反対の意見を紹介するものです。

## A Model Essay

07

### Should Japan accept September admission?

1 Our school starts in April. However, there is an opinion that the Japanese academic year should start in September.

2 The supporters of September admission think this system is good if you go abroad to study. Most English-speaking countries start their academic year in September. If you plan to study abroad, you have to wait for five months to start a new academic year. And when you come back to Japan, you may not be able to join your old classmates.

3 The opponents of this idea think that the tradition of April admission is deeply rooted in Japanese society. It will be hard to change this system. If we change this system, we have to change the whole system in companies and governmental offices.

4 If Japan wants to be international, September admission is better, but it's quite hard to practice it.

上のエッセイを読んで、次の表を完成させ、ポイントを整理しなさい。

① トピック

② 賛成

③ 反対

④ まとめ

**Notes**

September admission 9月入学
1 academic year 学年（度）
2 go abroad to study 留学する join ～ ～と一緒になる
3 tradition 伝統 be rooted in ～ ～に根付いている governmental offices 官公庁
4 practice 実施する

## Useful Expressions

**1** トピックの紹介

**1.**「この制度には利点と欠点がある」
There are merits and demerits [good points and bad points] with this system.

**2** **3** 賛成と反対の意見を提示

**1.**「賛成者」
supporters
proponents
those who support ～

**2.**「反対者」
opponents
those who oppose ～
those who are against ～

**4** まとめ・コメント

**1.**「このように、この意見には長所と短所がある」
Thus, there are good points and bad points with this opinion.

## B Writing Task

日本語に従って、次のエッセイを英語にしてみよう。下のエッセイ・プランを意識しながら書いてみよう。

**Essay Title:** Should we accept English as an official language?

エッセイ・プラン：

| | |
|---|---|
| 1 | トピック<br>英語を公用語とすべきか？ |
| 2 | 賛成意見<br>私たちの社会を国際化するのに最良の方法。 |
| 3 | 反対意見<br>私たちの伝統と文化が廃れ、アイデンティティも失う。 |
| 4 | まとめ<br>国際化も文化を保持することも大事。 |

1 ① もし私たちが英語を公用語として受け入れるなら、私たちの社会はもっと国際的になるだろう。

② 賛成しますか？

2 ③ この考えの賛成者たちは、これは、私たちの社会をもっと国際的にさせるのに最良の方法であると言う。

④ もしあなたが毎日英語を使うならば、あなたの英語は上達するだろう。

3 ⑤ この考えの反対者たちは、私たちは自身の伝統と文化を保持すべきだと言う。

⑥ もし私たちが日本語を失えば、私たちのアイデンティティも失うであろう。

4 ⑦ 国際的になることは重要なことであるが、私たちのアイデンティティと文化を保持することもまた大切なことである。

**Notes**

1 ①「受け入れる」 accept 「公用語」 an official language
2 ③「〜をもっと国際的にする」 make 〜 more international
「〜するのに最良の方法」 the best way to V
④「上達する」 improve
3 ⑤「伝統」 tradition 「保持する」 keep

## C オリジナル・エッセイの作成

次のエッセイ・タイトルでエッセイを書いてみよう。

1. The Japanese pension system. Discuss its merits and demerits.
2. Going abroad to study. Discuss its merits and demerits.
3. A university student having a part-time job. Discuss its merits and demerits.
4. Make up your own essay topic.

☆ 上のエッセイ・タイトルのうち、ひとつを選んで、エッセイ・プランを書いてみよう。

① 選んだエッセイ・タイトル [　　]

② エッセイ・プランの作成

| |
|---|
| トピックの提示 |
| 賛成意見 |
| 反対意見 |
| まとめ |

Classification

# 7 分類してみよう！

## ●エッセイ構成

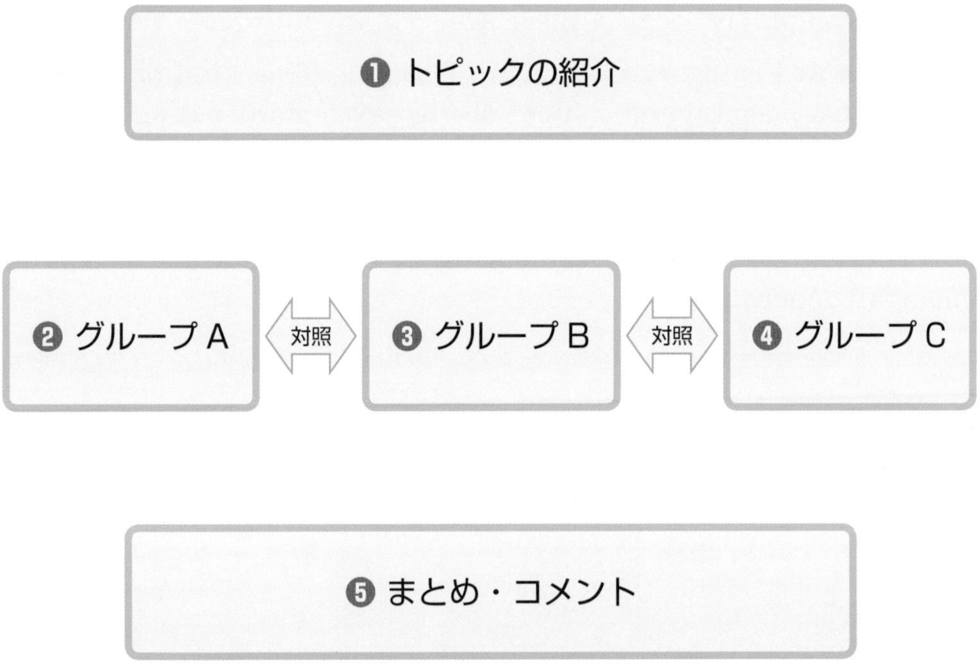


ある基準を設け、その基準に従って、何かをいくつかのグループに分類するエッセイパターンです。どういう基準で分類するのかをまずはっきりさせます。それから構成要素をそれぞれのグループに振り分けていきます。

## A Model Essay

### TV dramas

**1** There are many dramas on TV. TV dramas can be classified mainly into the following four categories.

**2** The first category is a love romance drama. This is the most popular genre among TV dramas. There are funny love comedies and serious love stories.

**3** The second category is a detective or a police drama. There are many detective dramas every week. Sometimes a lawyer is a main character and solves difficult cases. People jokingly say how dangerous Japan is because there are so many murders every day.

**4** The third category is a medical drama. This kind of drama is situated in a hospital and a super doctor saves many patients' lives.

**5** The fourth category is a history drama. The most popular example is the one on NHK on Sunday evening.

**6** There are some more categories. TV dramas are still popular among all generations.

上のエッセイを読んで、次の表を完成させ、ポイントを整理しなさい。

① トピック → ② 種類 1 → ③ 種類 2 → ④ 種類 3 → ⑤ 種類 4 → ⑥ まとめ

**Notes**

[1] classify 分類する　[2] genre ジャンル・部門　serious 真面目な　[3] detective 刑事　lawyer 弁護士　character 登場人物　case 事件　jokingly 冗談で　murder 殺人
[4] medical 医療の　be situated in ～ ～を舞台としている　patient 患者
[6] generation 世代

## Useful Expressions

### 1 何を分類するのか？

**1.** 「～には３つのタイプ［種類／カテゴリー］がある」
There are three types [kinds/categories/genres] of games.

**2.** 「テレビドラマは３つのタイプに分類することができる」
TV dramas can be categorized [classified/divided/grouped] into three types.

**3.** 「卵はサイズによって３グループに分けられる」
Eggs are classified into three groups according to their sizes.

### 2 3 4 5 それぞれのグループを説明

**1.** 「このグループには A,B,C が含まれる」
This group includes A, B and C.

**2.** 「A はこのグループに属す」
A belongs to this group.

### 6 まとめ・コメント

**1.** 「他にもいくつかのグループがある」
There are some more groups.

## B Writing Task

日本語に従って、次のエッセイを英語にしてみよう。下のエッセイ・プランを意識しながら書いてみよう。

**Essay Title:** TV programs

エッセイ・プラン：

| | |
|---|---|
| 1 | トピック<br>テレビ番組の分類 |
| 2 | 種類１<br>ニュース |
| 3 | 種類２<br>ドラマ |
| 4 | 種類３<br>エンターテインメント |
| 5 | 種類４<br>教育 |
| 6 | 種類５<br>スポーツ |
| 7 | まとめ<br>日本人に最も人気の余暇であるかもしれない。 |

1 ① 多くの人が毎日テレビを見ている。

② テレビ番組は主に以下の５つのカテゴリーに分類される。

2 ③ 第一のカテゴリーはニュースである。

④ 多くの人がニュースを、朝、お昼時、夕方、あるいは夜に見る。

3 ⑤ 第二のカテゴリーはドラマである。

⑥ 様々な種類のドラマがあり、多くの人はそれらを見ることを楽しんでいる。

4 ⑦ 第三のカテゴリーはエンターテインメントで、クイズ（quiz shows）、ゲーム（game shows）、トーク（talk shows）などを含む。

⑧ いくつかの番組は「バラエティ」（variety shows）と呼ばれる。

5 ⑨ 第四のカテゴリーは教育である。

⑩ NHK は教育用に特別なチャンネルを持っている。

6 ⑪ 第五のカテゴリーはスポーツである。

⑫ 野球、サッカー、相撲が人気である。

7 ⑬ 他にもいくつかのカテゴリーがある。

⑭ テレビを見ることは日本人にとって最も人気の余暇（pastime）であるかもしれない。

**Notes**

1 ②「～に分類される」 can be classified into ～　「以下の」 following
4 ⑦「エンターテインメント」 entertainment　「含む」 include　「クイズ」 quiz shows
「トーク」 talk shows　「ゲーム」 game shows
⑧「バラエティ」 variety shows
5 ⑩「チャンネル」 channel
7 ⑭「余暇」 pastime

## C オリジナル・エッセイの作成

次のトピックでエッセイを書いてみよう。

1. Classify jobs into those which disappear in the future and those which survive.
2. Classify novels.
3. Classify movies.
4. Classify clothes.
5. Classify entertainment.
6. Classify fast food.
7. Make up your own essay topic.

☆ 上のエッセイ・タイトルのうち、ひとつを選んで、エッセイ・プランを書いてみよう。

① 選んだエッセイ・タイトル［　　］

② エッセイ・プランの作成

| |
|---|
| トピックの提示 |
| 種類1 |
| 種類2 |
| 種類3 |
| まとめ |

# Part III

## 第３のパターン：直線フロー型

## （Unit 8 ～ 10）

導入（トピックの提示）

第１段階

↓

第２段階

↓

第３段階

まとめ

**時間の流れに沿って順に説明をしていくものです。このテキストでは、⑧～⑩ 課で次の３種類を提示します。**

**⑧ 歴史**
**⑨ 過程**
**⑩ 原因ー結果**

History

# 8

# 歴史

## ●エッセイ構成

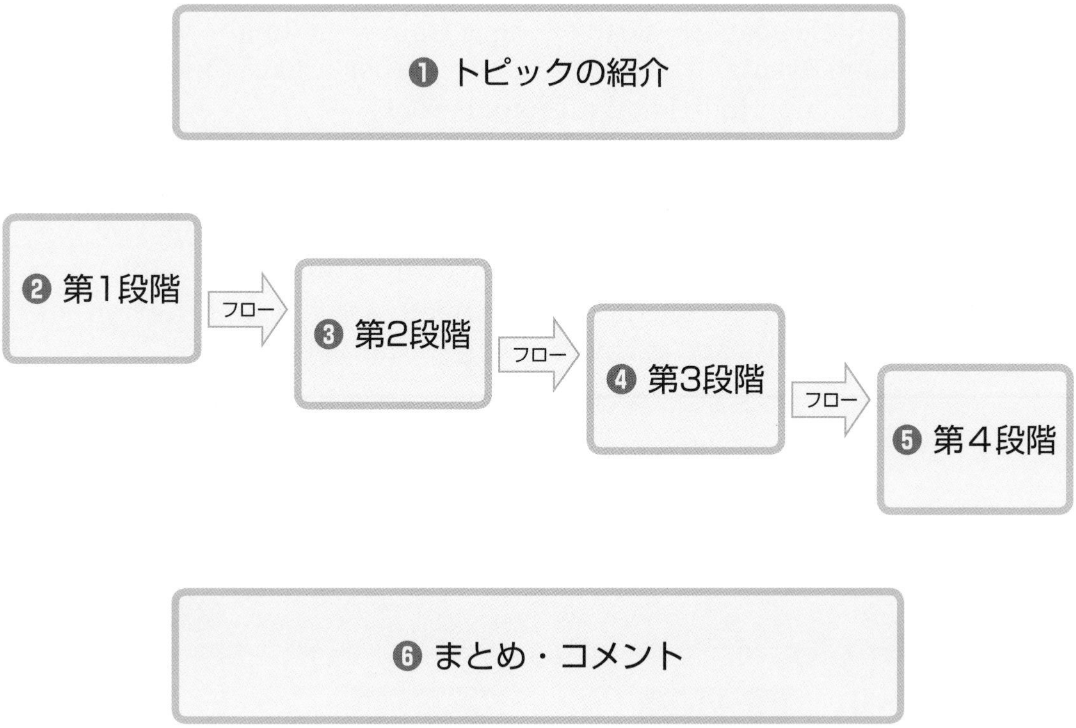


あるトピックについて、その時間的変遷を追っていくもの。まず何の歴史について説明するのかから始まり、時間的に早い内容から歴史をたどっていきます。最終段階として、現在の状況・状態で終わります。また未来の予測で終わるのもいいでしょう。ここでは有名なアスリートについて書いてみましょう。

## A Model Essay

09

### Uchimura Kohei

1 Uchimura Kohei is a famous artistic gymnast.

2 Uchimura was born in 1989 in Fukuoka and grew up in Nagasaki. His parents were gymnasts and he began gymnastics when he was three years old. He went to Nihon Taiiku University.

3 He was selected as a member of the national team for the Beijing 2008 Olympic Games. He won two silver medals in team events and in individual all-round events.

4 In the London 2012 Olympic Games, he won a silver medal in team events and a gold medal in individual all-round events.

5 In the Rio de Janeiro 2016 Olympic Games, he finally won a gold medal in team events, which was his dream for a long time. He also won a gold medal in individual all-round events.

6 Uchimura continued to win individual all-round gold medals from 2009 to 2016 in the Olympic Games and World Artistic Gymnastics Championships. In the 2017 World Championships, he injured his ankle, and he missed the gold medal for the first time since 2009.

7 His gymnastics skills are praised as a "combination of tremendous difficulty and extraordinarily elegant performance".

上のエッセイを読んで、次の表を完成させ、ポイントを整理しなさい。

① トピック → ② 第1段階 → ③ 第2段階 → ④ 第3段階 → ⑤ 第4段階 → ⑥ 第5段階 → ⑦ まとめ

| ① トピック | ② 第1段階 | ③ 第2段階 | ④ 第3段階 |
|---|---|---|---|
| | | | |

| ⑦ まとめ | ⑥ 第5段階 | ⑤ 第4段階 |
|---|---|---|
| | | |

**Notes**

1 artistic gymnast 体操選手　2 gymnastics 体操

3 the national team （日本）代表チーム　team events 団体競技
individual all-round events 個人総合競技

6 World Artistic Gymnastics Championship 体操世界選手権　injure 怪我させる　ankle くるぶし

7 praise 賞賛する　combination 組み合わせ　tremendous 驚くべき　difficulty 難しさ
extraordinarily 非常に　elegant 優雅な　performance 演技

## Useful Expressions

1 トピックとなる人物を簡潔に紹介

1. 「～は世界的に有名な芸術家である」
   ～ is an artist who is famous all over the world.

2. 「～は北京オリンピックで金メダルを獲得した」
   ～ won the gold medal in the Beijing Olympic Games.

2 3 4 5 6 それぞれの段階を時間を追って述べる

1. 「第一の段階は～。第二の段階は～」
   The first stage is ～. The second stage is ～.
   First,... Then,... Next,... And finally,...

7 まとめ・コメント

まとめでは、業績を一言でまとめたり、その人の現在の状況、これからの展望などを書くとよい。

1. 「彼は確かに偉大なアスリートである」
   He is definitely a great athlete.

2. 「彼は現在は後進を指導している」
   He is training the young.

## B Writing Task

日本語に従って、次のエッセイを英語にしてみよう。下のエッセイ・プランを意識しながら書いてみよう。

**Essay Title:** Ichiro

エッセイ・プラン：

| | |
|---|---|
| 1 | トピック<br>イチロー：アメリカで最も有名な日本人野球選手 |
| 2 | 第１段階<br>愛知で育ち、愛工大名電高校に。 |
| 3 | 第２段階<br>オリックスに入団。 |
| 4 | 第３段階<br>アメリカに行ってマリナーズ、ヤンキーズ、マーリンズでプレイし、そしてマリナーズに戻る。 |
| 5 | まとめ<br>多くの記録を打ち立てた、偉大な野球選手。 |

1 ① 鈴木一郎はアメリカで最も有名な日本人野球選手である。

2 ② イチローは愛知で育った。

③ 彼は７歳の時に野球を始めた。

④ 彼は愛工大名電高校（Aikodai Meiden High School）に入学した。

3 ⑤ 彼はOrix Blue Wavesに入団し、そこで9年間プレイした。

4 ⑥ 彼はthe Seattle Marinersに入団するためにアメリカに行った。

⑦ 彼はそこで12年間プレイした。

⑧ 彼はthe New York Yankeesそしてそのあとthe Miami Marlinsに移籍したが、2018年にthe Seattle Marinersに戻った。

5 ⑨ イチローは数多くの記録を打ち立てた。

⑩ 彼は確かに偉大なる野球選手である。

**Notes**

2 ①「育つ」 grow up
④「～に入学する」 go to ～
3 ⑤「～に入団する」 join ～
4 ⑧「～に移籍する」 move to ～
5 ⑨「多くの記録を打ち立てる」 establish many records
⑩「確かに」 definitely

## C オリジナル・エッセイの作成

次のエッセイ・タイトルでエッセイを書いてみよう。

1. Otani Shohei (baseball player).
2. Hanyu Yuzuru (figure skater).
3. Shirai Kenzo (artistic gymnast).
4. Uno Shoma (figure skater).
5. Asada Mao (figure skater).
6. Hasebe Makoto (soccer player).
7. Miyabe Miyuki (novelist).
8. Murakami Haruki (novelist).
9. Fujii Sota (shogi player).
10. Steven Spielberg (film director).
11. Usain Bolt (field and track athlete).
12. Make up your own essay topic.

☆ 上のエッセイ・タイトルのうち、ひとつを選んで、エッセイ・プランを書いてみよう。

① 選んだエッセイ・タイトル［　　　］

② エッセイ・プランの作成

| |
|---|
| トピックの提示 |
| 第１段階 |
| 第２段階 |
| 第３段階 |
| まとめ |

Process

9

# 過程を説明する

## ●エッセイ構成

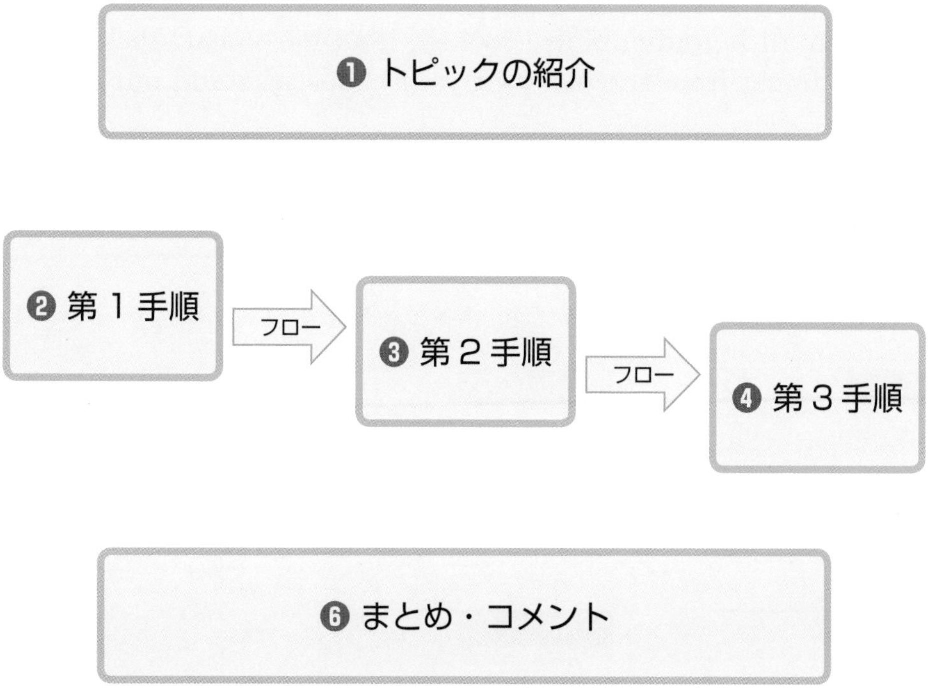


何かの過程を時間を追って説明します。「始めに→次に→それから→最後に」と進んでいくエッセイパターンです。ここでは代表的な日本料理の作り方を書いてみます。

## A Model Essay

**How to make "sukiyaki"**

**1** Sukiyaki is the most famous Japanese hot pot dish. This is the recipe to make sukiyaki.

**2** Pour sake, soy sauce, sugar, mirin and broth into a pot and heat it.

**3** Then add meat, vegetables (Chinese cabbage, leek, shungiku, mushrooms), and other ingredients (shirataki noodles, tofu and so on). Simmer them together.

**4** When all ingredients are cooked, it's time to eat. Pick up what you want to eat from the pot with your chopsticks and put it in your bowl.

**5** Usually people use raw eggs as a dipping sauce for sukiyaki.

上のエッセイを読んで、次の表を完成させ、ポイントを整理しなさい。

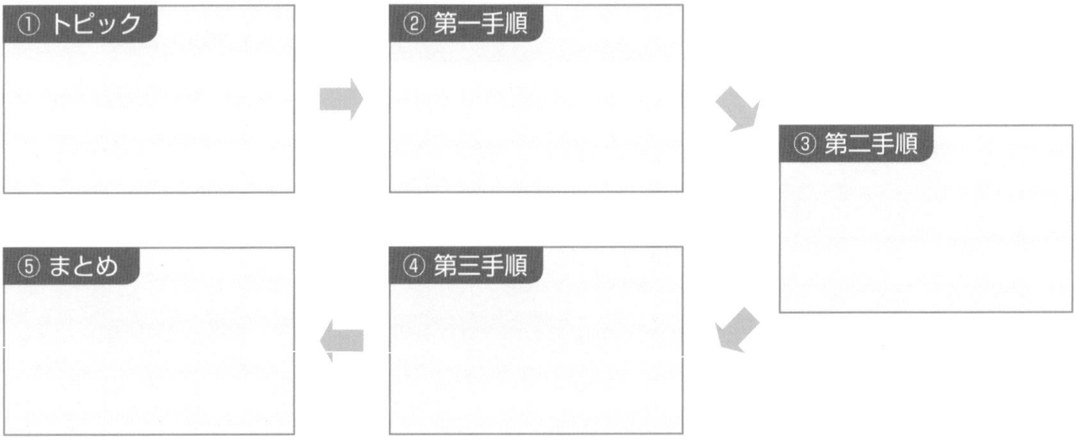


**Notes**

1 hot pot dish 鍋物　recipe レシピ
2 pour 注ぐ　broth だし　pot 鍋
3 add 加える　Chinese cabbage 白菜　leek ネギ　ingredient 材料　simmer ぐつぐつ煮る
4 pick up ～ with chopsticks 箸で～をとる　bowl 小皿
5 raw 生の　dipping sauce たれ

## Useful Expressions

1 トピックの紹介

トピックの簡単な説明

**1.** 「すき焼きは最も有名な日本の鍋料理である」
Sukiyaki is the most famous Japanese hot pot dish.

**2.** 「これがすき焼きの作り方である」
This is the recipe to make sukiyaki.

2 3 4 作り方を順を追って説明

**1.** 「最初に」
first / first of all

**2.** 「次に・さらに」
next / then / after that / furthermore / moreover

**3.** 「最後に」
finally / lastly / last

5 まとめ・コメント

**1.** 「これが典型的なレシピであるが、他にもいくつかのバリエーションがある」
This is a typical recipe, but there are some other variations.

**2.** 「さあ、準備ができました」
Now, it’s ready.

**3.** 「召し上がれ」
I hope you enjoy it.

## B Writing Task

日本語に従って、次のエッセイを英語にしてみよう。下のエッセイ・プランを意識しながら書いてみよう。

**Essay Title:** How to make Japanese curry rice

エッセイ・プラン：

| | |
|---|---|
| 1 | トピック<br>カレーライスの作り方 |
| 2 | 第一段階<br>野菜を細かく切る |
| 3 | 第二段階<br>油を熱して肉を入れ、玉ねぎを炒め、野菜、水を入れる |
| 4 | 第三段階<br>沸騰したら火を弱め煮る。カレールーを入れてかき混ぜ、煮る。 |
| 5 | まとめ<br>ご飯の上にカレーをかける |

1 ① カレーは元々は（originally）インド料理であるが、日本人は彼ら自身のカレーを作った。

② そして今ではそれは彼らの国民食である。

③ これは日本のカレーライスを作るレシピである。

2 ④ 野菜（人参、じゃがいも、タマネギ）をいくつかに切る（cut ~ into pieces）。

3 ⑤ 油を熱し、肉を鍋に入れる。

⑥ 同じ鍋の中で、玉ねぎを８分間炒める。

⑦ 人参とじゃがいもを加える。

⑧ 水を加える。

4 ⑨ それが沸騰したら、熱を弱めて、45 分間ぐつぐつ煮る。

⑩ カレールー(curry roux)を鍋に入れて、よくかき混ぜる。

⑪ 10 分ぐつぐつ煮る。

5 ⑫ さあ、準備ができました。

⑬ カレーを皿の上のライスにかける。

**Notes**

1 ①「元々」 originally　「インド料理」 an Indian dish
②「国民食」 national food
③「レシピ」 recipe
2 ④「いくつかに切る」 cut ～ into pieces
3 ⑤「熱する」 heat　「鍋」 a pot
⑥「炒める」 fry
⑦「加える」 add
4 ⑨「沸騰する」 boil　「熱を弱める」 turn down the heat　「ぐつぐつ煮る」 simmer
⑩「カレールー」 curry roux　「かき混ぜる」 stir
5 ⑫「準備ができる」 be ready
⑬「A を B にかける」 pour A over B

## C オリジナル・エッセイの作成

次のエッセイ・タイトルでエッセイを書いてみよう。

1. How to make “oden”.
2. How to make “yakisoba”.
3. How to make “udon”.
4. How to make “instant ramen”.
5. How to make “eggs (eggs sunny side up)”.
6. Make up your own essay.

☆ 上のエッセイ・タイトルのうち、ひとつを選んで、エッセイ・プランを書いてみよう。

① 選んだエッセイ・タイトル［　　］

② エッセイ・プランの作成

| |
|---|
| トピック |
| 第１段階 |
| 第２段階 |
| 第３段階 |
| まとめ |

Cause & Effect

10

# 原因から結果へ

## ●エッセイ構成

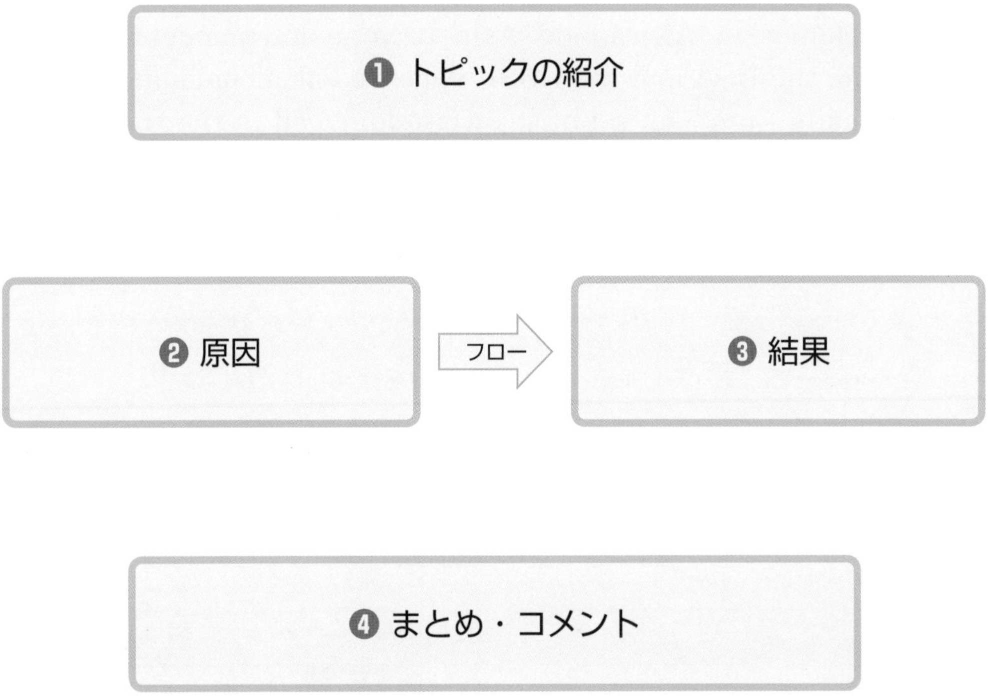


原因→その結果、と進むエッセイパターン。何かの事件、政府の決定などを取り上げ、それが原因となってあることが起こる、その過程を説明するものです。

## A Model Essay

### The effects of World War II

1 World War II has dramatically changed the world.

2 World War II was the biggest war in human history. It involved six continents and caused 50 million deaths. World War II was fought between two forces: the Axis (Germany, Japan and Italy) and the Allies (the U.S., Great Britain and the Soviet Union). As everybody knows, the Allies won. The war has dramatically changed the world. How?

3 Although Britain won the war, it lost much of its empire. Many British colonies in Africa and Asia became independent. On the other hand, the USA and the USSR appeared as global superpowers, because many European countries were damaged in the war. These superpowers started the Cold War, and they led world politics.

4 The problem of North Korea is one of the results of World War II and the Cold War.

上のエッセイを読んで、次の表を完成させ、ポイントを整理しなさい。

① トピック

② 原因

③ 結果

④ まとめ

**Notes**

effect 影響
1 dramatically 画期的に
2 involve 巻き込む　continent 大陸　force 勢力　the Axis 枢軸国　the Allies 同盟国
3 empire 帝国　colony 植民地　independent 独立した　USSR ソ連　superpower 超大国
the Cold War 冷戦　lead リードする

## Useful Expressions

**1** トピックの紹介

トピックを簡潔にまとめるか、本論につなげる質問などで導入します。

**1.** 「第二次世界大戦が世界を画期的に変えた」
World War II has dramatically changed the world.

**2.** 「なぜ東京が日本の首都なのか知っていますか？」
Do you know why Tokyo is Japan's capital city?

**2** **3** 事件の説明→その結果

**1.** 「この新しい政策の結果、老人たちが職を失っている」
As a result of this new policy, old people have been losing their jobs.

**2.** 「徳川が関ヶ原の戦いで勝ったので、東京が日本の首都なのである」
As Tokugawa won the Battle of Sekigahara, Tokyo is Japan's capital city.

**4** まとめ・コメント

簡単な要約で締めてもいいですし、この原因→結果の関係を他の観点から語るのもいいでしょう。

**1.** 「関ヶ原の戦いは日本史における転換点だったのである」
The Battle of Sekigahara was the turning point in Japanese history.

**2.** 「第二次世界大戦が冷戦を生んだのである」
World War II produced the Cold War.

## B Writing Task

日本語に従って、次のエッセイを英語にしてみよう。下のエッセイ・プランを意識しながら書いてみよう。

**Essay Title:** The effect of the Battle of Sekigahara

エッセイ・プラン：

| | |
|---|---|
| 1 | トピック<br>関ヶ原の戦いが東京を首都とした。 |
| 2 | 原因<br>関ヶ原の戦いで徳川政権が誕生した。 |
| 3 | 結果<br>東京が日本の首都となった。 |
| 4 | まとめ<br>関ヶ原から 400 年以上ということは東京が首都になって 400 年以上ということ。 |

1 ① 日本の首都は東京である。

② それは徳川家康が関ヶ原で勝ったからである。

2 ③ 関ヶ原は日本史の中で重要な場所である。

④ なぜならば 1600 年に関ヶ原の戦い（the Battle of Sekigahara）がそこであったからである。

⑤ この戦いは戦国時代（Sengoku period）の終わりと、徳川時代（Tokugawa era）の始まりを意味していた。

3 ⑥ この戦いが現在の日本にどんな意味をもつのか？

⑦ 最も重要なことは、東京が現在日本の首都であることである。

⑧ 当時、徳川は関東地域を支配していた。

⑨ 故に家康は彼の政府（幕府）を江戸に設立したのだ。

4 ⑩ 関ヶ原から 400 年以上が経つ。

⑪ このことは、東京が 400 年間も日本の中心であることを意味している。

**Notes**

1 ①「首都」 the capital city
②「それは〜だからだ」 that's because S+V
2 ④「関ヶ原の戦い」 the Battle of Sekigahara
⑤「戦国時代」 Sengoku period 「徳川時代」 Tokugawa era
3 ⑥「現在の日本」 the current Japan
⑧「支配する」 control 「当時」 at that time
⑨「幕府を設立する」 establish his government

## C オリジナル・エッセイの作成

次のエッセイ・タイトルでエッセイを書いてみよう。

1. What was the effect of the Meiji Ishin (Meiji Restoration)?
2. What was the effect of the Tokugawa Government?
3. What was the effect of the appearance of the Internet?
4. What is the effect of the 2020 Tokyo Olympic Games?
5. Make up your own essay topic.

☆ 上のエッセイ・タイトルのうち、ひとつを選んで、エッセイ・プランを書いてみよう。

① 選んだエッセイ・タイトル［　　］

② エッセイ・プランの作成

| |
|---|
| トピック |
| 原因 |
| 結果 |
| まとめ |

# Part Ⅳ

## 第４のパターン：異質パラグラフ型

## （Unit 11 〜 14）

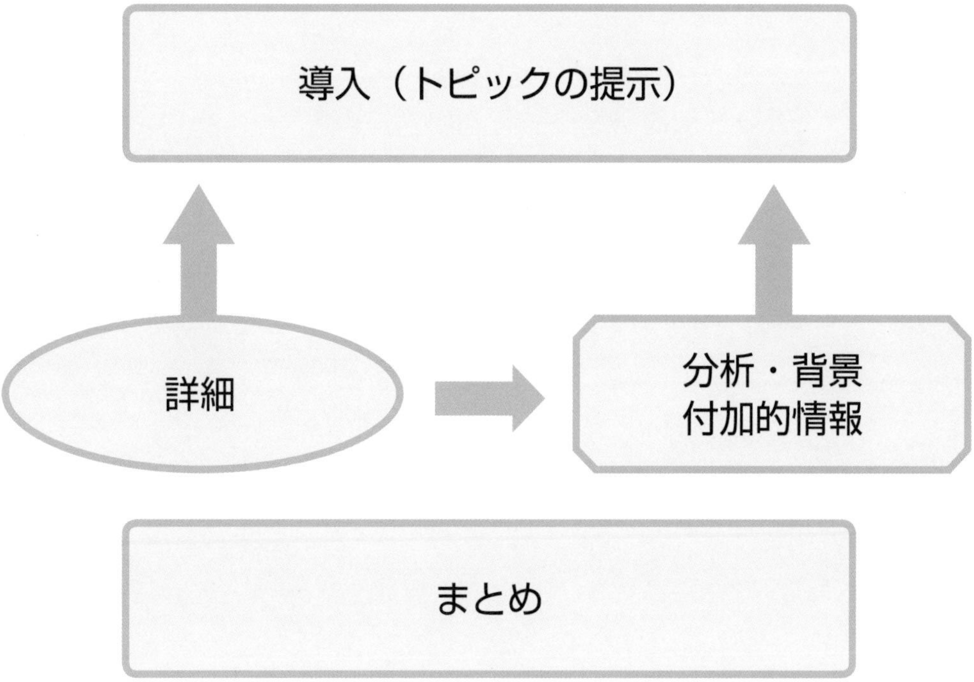


役割の違う複数のパラグラフで構成するエッセイパターンです。
このテキストでは ⑪〜⑭ 課で次の４種類を提示します。

⑪ **言葉の定義**
⑫ **調査**
⑬ **新製品**
⑭ **グラフ**

# 11 Definition of a New Word

## 最近気になる言葉を考えよう

### ●エッセイ構成

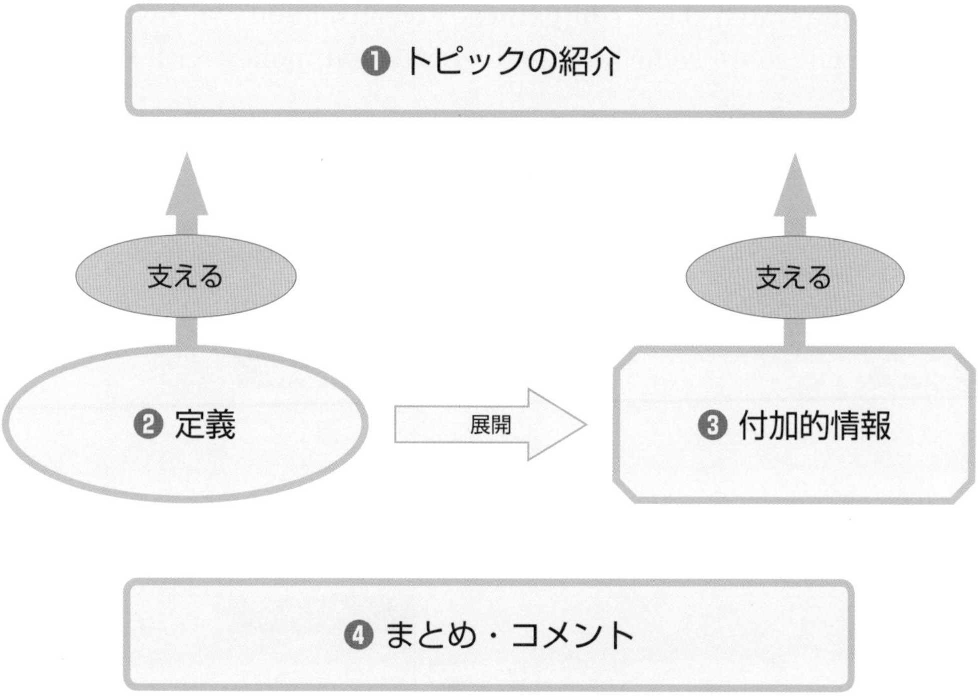


テレビ・雑誌・新聞などで最近よく聞く・見る言葉はありませんか？もともとはどういう意味なのか知ってますか？その元来の意味を基にして、現在はどのように使っているのかを考えてみましょう。また、なぜその言葉がはやっているのかを考えてみましょう。

## A Model Essay

### YouTuber

**1** Do you want to be a “YouTuber”?

**2** YouTube is a website where you can share your videos and other people’s videos. YouTubers are people who are famous for their videos on YouTube.

**3** “YouTuber” is one of the popular jobs among young people. If you are lucky, you can make money as a YouTuber. How? YouTube attaches some advertisements to your video. If your video is popular, many people watch these companies’ advertisements with your video. YouTube will share some of the advertisement money with you.

**4** Now many jobs are disappearing due to the Internet, but many jobs are created by the Internet, too.

上のエッセイを読んで、次の表を完成させ、ポイントを整理しなさい。

① トピック

② 言葉の定義

③ 付加的情報

④ まとめ

**Notes**

2 share 共有する　be famous for ～ ～で有名である

3 advertisement 宣伝　attach A to B AをBにくっつける

4 due to ～ ～のせいで

## Useful Expressions

### 1 トピックの紹介

**1.**「フリーター」という言葉を知っていますか？
Do you know the phrase “Freeter”?

**2.**「ブラック企業という言葉が最近よく使われる」
Recently, the word “Black Company” is often used.

### 2 言葉の定義

**1.**「パワハラとはパワーとハラスメントを合わせた言葉である」
“Pawahara” is a combined word of “power” and “harassment.”

**2.**「リストラという言葉はもともと失業のマイルドな表現である」
“Ristora” is originally a mild expression for unemployment.

### 3 その言葉の使われ方・付属的な情報

トピックとなっている言葉がその元々の意味を外れて、現在での使われ方を述べる、その言葉にまつわる社会的背景などをこのパラグラフで述べます。

## B Writing Task

日本語に従って、次のエッセイを英語にしてみよう。下のエッセイ・プランを意識しながら書いてみよう。

**Essay Title:** Power Spot

エッセイ・プラン：

| | |
|---|---|
| 1 | トピック<br>Power Spot |
| 2 | 言葉の定義<br>特別な力を与えてくれる場所 |
| 3 | 付加的情報<br>日本人は自然に精霊が宿っていると信じてきた。またネットで情報が拡散する。 |
| 4 | まとめ<br>技術が発展しても人はまだ超自然的力を信じている。 |

1 ①「パワースポット」を訪れたことがありますか？

2 ②「パワースポット」はジャパニーズイングリッシュである。

③ 英語では、この言葉は、spiritual site、energy site、sacred place、などと訳される。

④ この言葉は、「訪問者たちに何かしら特別なエネルギーを与える場所」を意味している。

3 ⑤「パワースポット」を訪れることは今や若者だけでなく中年や老年の人たちの間でも人気である。

⑥ こうした場所は主に、神社、寺、山、湖、川などである。

⑦ 日本人は自然の中に精霊が住んでいるとずっと信じてきた。

⑧ 故に神が住んでいる場所がたくさんあるのである。

⑨ 今日、人々はインターネットを通じて、パワースポットについての情報を広めている。

4 ⑩ 技術は発展してきているが、人々は超自然的な力をまだ信じているのである。

**Notes**

2 ③「～と訳される」 be translated into ～
④「何かしら特別なエネルギー」 some special energy
3 ⑤「中年や老年の人たち」 middle-aged and old people
「～の間で人気である」 be popular among ～
⑥「場所」 sites 「神社」 shrines 「寺」 temples
⑦「精霊」 spirits
⑧「ゆえに」 So
⑨「広める」 spread
4 ⑩「技術は発展してきている」 technology has been advancing
「超自然的な力」 supernatural power

## C オリジナル・エッセイの作成

次のエッセイ・タイトルでエッセイを書いてみよう。

1. Gamer.
2. “Yutori” Generation.
3. Transgender.
4. Honey Trap.
5. Big Mouth.
6. Make up your own essay topic.

☆ 上のエッセイ・タイトルのうち、ひとつを選んで、エッセイ・プランを書いてみよう。

① 選んだエッセイ・タイトル [　　　]

② エッセイ・プランの作成

| |
|---|
| トピック |
| 言葉の定義 |
| 付加的情報 |
| まとめ |

12

Research

# 調査をしよう！

## ●エッセイ構成

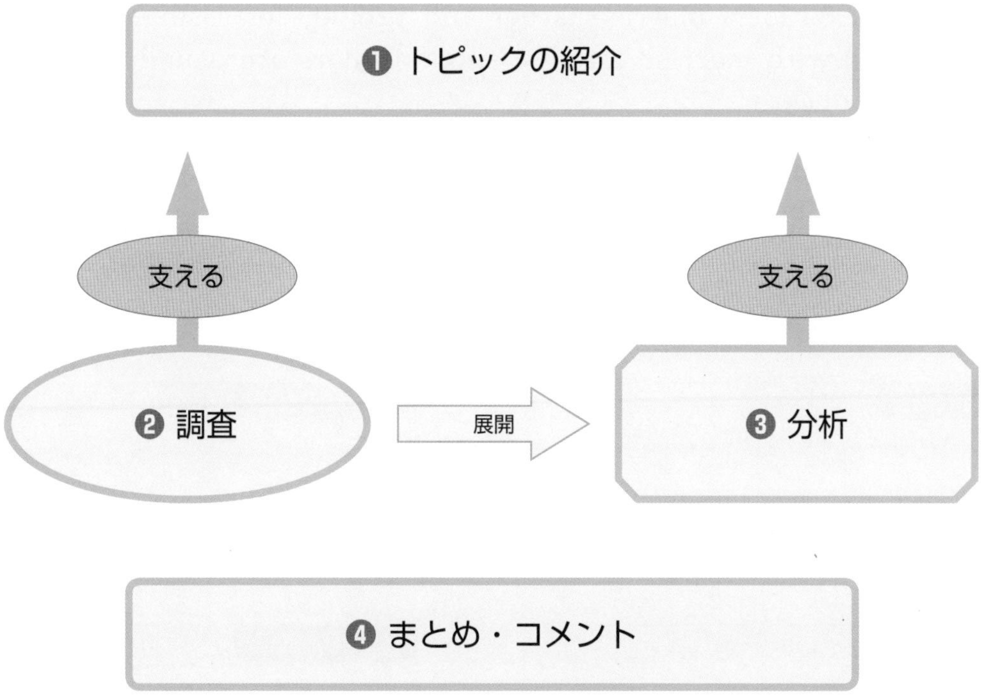


何かの調査を提示し、その結果やその分析、その背景を述べていきます。新聞などでよく見るエッセイパターンです。大学のレポートや論文でも役立つエッセイ構造です。

## A Model Essay

**The record number of single fathers in the U.S.**

1 Single fathers are struggling in the U.S.

2 According to a new piece of research by the Pew Research Center, there were 2.6 million single fathers in 2011. This is nine times more than in 1960.

3 The Pew Research Center found that 24% of single fathers live below the poverty line, compared with 43% of single mothers. The annual income of a single father is about $40,000, compared with $70,000 for a married father and $26,000 for a single mother. Compared with married fathers, single fathers are usually younger and less educated.

4 The number of single fathers has been increasing in the U.S. and this is a new social problem.

上のエッセイを読んで、次の表を完成させ、ポイントを整理しなさい。

① トピック

② 調査の概要

③ 結果・詳細

④ まとめ

**Notes**

the record number 記録的な数字
1 struggle 苦しむ
2 nine times 9倍
3 the poverty line 貧困線　compared with ~ ~と比較して　annual income 年収

## Useful Expressions

### 1 トピックの紹介

トピックに関連したキャッチーな文。または要約。この調査から何がわかったかを簡単に述べてもよい。また関連した質問を投げ込むやり方もある。

[要約の例]

**1.** 「シングル・ファザーがアメリカで増加している」
The number of single fathers is increasing in the U.S.

[質問の例]

**2.** 「顔にニキビがありますか？」
Do you have acne on your face?

### 2 調査の方法

**1.** 「被験者」
participant / subject（実験の被験者）
people who answered the questionnaire（アンケートに答えた人々）

**2.** 「東京大学の研究チームが彼らの調査の結果を発表した」
A research team at Tokyo University revealed the result of their research.

### 3 調査の結果

**1.** 「この調査の結果、シングルファザーが苦闘しているのがわかる」
The result of this research shows that single fathers are struggling.

**2.** 「300 人のうち 100 人（の被験者）が「イエス」と答えた」
100 participants out of 300 said “Yes”.

### 4 まとめ・コメント

**1.** 「A と B の関係は明らかではない」
The relationship between A and B is not clear.

## B Writing Task

日本語に従って、次のエッセイを英語にしてみよう。下のエッセイ・プランを意識しながら書いてみよう。

**Essay Title:** Acne is a nuisance for young people

エッセイ・プラン：

| |
|---|
| 1 トピック<br>ニキビ |
| 2 調査<br>ニキビと自尊心の関係 |
| 3 詳細<br>ニキビは自尊心に影響。ニキビの人は鬱になりやすく、女性の方が鬱になる。 |
| 4 まとめ<br>厄介なものだが、若いうちはつきあわざるをえない。 |

1 ① 若い時、顔にニキビがありましたか？

② 憂鬱でしたか？

2 ③ Dr. Steven Feldman は 2001 年から 2010 年のデータを使ってニキビと自尊心の関係を調べた。

3 ④ 彼はニキビが自尊心に影響を及ぼす（affect）ことを発見した。

⑤ ニキビのある人々はきれいな肌をした人々よりも鬱（depression）に苦しんでいたのだ。

⑥ ニキビのある女性はニキビのある男性よりももっと鬱に陥っていた（be depressed）。

⑦ 研究によると、ニキビは 85% 以上のティーンエージャーに影響を与えていた。

4 ⑧ ニキビは厄介なもの（a nuisance）である。

⑨ しかしながら、若いときはそれと付き合っていかなければいけないのだ。

**Notes**

1 ①「ニキビがある」 have acne
②「憂鬱である」 be depressed
2 ③「調べる」 examine 「ニキビと自尊心の関係」 the relationship between acne and self-esteem
3 ④「～に影響を及ぼす」 affect ～
⑤「ニキビのある人」 people with acne 「きれいな肌をした人」 people with clear skin
「鬱」 depression
⑥「鬱に陥る」be depressed
⑦「～によると」according to ～
4 ⑧「厄介なもの」 a nuisance
⑨「付き合っていく」 cope with

## C オリジナル・エッセイの作成

次のエッセイ・タイトルでエッセイを書いてみよう。

Choose one research question. Ask people around you the question. Summarize the result of your research.

1. "What sport do you like to watch best?"
2. "What sport do you like to play?"
3. "What food do you like to eat for lunch?"
4. "What TV drama do you like best?"
5. "What TV news are you interested in most?"
6. "Who is your favorite athlete?"
7. Make up your own essay topic.

☆ 上のエッセイ・タイトルのうち、ひとつを選んで、エッセイ・プランを書いてみよう。

① 選んだエッセイ・タイトル [ ]

② エッセイ・プランの作成

| |
|---|
| トピック |
| 調査の概要 |
| 分析・付加的情報 |
| まとめ |

New Product

# 13 新製品

## ●エッセイ構成

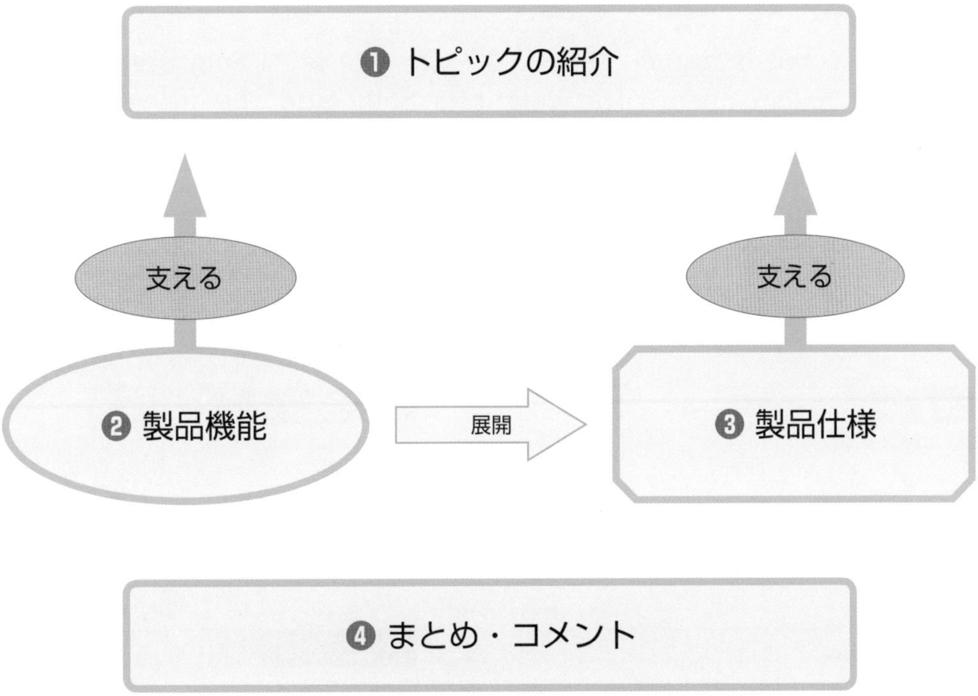


製品の説明はビジネスを行う際には大変重要なものです。新しい製品を説明するためには、まずその製品の詳細や使い方を説明します。そのあとでサイズや価格などを明らかにします。

## A Model Essay

### Musio X

1 English education is changing now. If there is an AI robot which teaches you English, do you want it?

2 AKA, an American start-up company, developed an AI robot for English education. There is a screen on its face, and this screen shows the script of the conversation. This robot recognizes your face and voice, and remembers what you have said. This robot plays and learns with you, giving you quizzes and tests. It contains dictionary, alarm, radio, and game functions.

3 This robot is named “Musio X”. Its size is 21.8cm high, 17.3cm wide and 8.3cm deep. Its weight is 850g and the price is about 110,000 yen. It has a white human-like shape.

4 Now some schools are using Musio X in their English class.

上のエッセイを読んで、次の表を完成させ、ポイントを整理しなさい。

① トピック → ② 製品の紹介

↓

④ まとめ ← ③ 製品仕様

**Notes**

1 AI=artificial intelligence 人工知能

2 start-up company ベンチャー企業 develop 開発する script 字幕 recognize 認識する quiz クイズ contain 内包する function 機能

## Useful Expressions

**1** トピックの導入

**1.**「最近、日本企業のソニーが新しい製品を発表した」
Recently, Sony, a Japanese company, announced their new product.

**2** 製品の機能

**1.**「この製品はあなたの時間とお金を節約してくれるでしょう」
This product will save you time and money.

**2.**「この製品はあなたが英語を勉強するチャンスをもたらしてくれるだろう」
This product will give you a chance to learn English.

**3** 製品仕様

**1.**「形」を表す表現

| | |
|---|---|
| box-shaped「箱型の」 | ball-shaped「ボール状の」 |
| pyramid-shaped「ピラミッド型の」 | cone-shaped「円錐型の」 |
| round「丸い」 | triangular「三角の」 |
| rectangular「長方形の」 | square「正方形の」 |

**2.**「サイズ」を表す表現
W170 x D130 x H150cm　　170cm wide, 130cm deep, 150cm high
「横 170cm 、奥行き 130cm、高さ 150cm」

**4** まとめ・コメント

**1.**「この製品は子供だけでなく大人にも便利なものである」
This product is convenient not only for children but also for adults.

Musio
A.I. Robot created by AKA

## B Writing Task

日本語に従って、次のエッセイを英語にしてみよう。下のエッセイ・プランを意識しながら書いてみよう。

**Essay Title:** Hellopika

エッセイ・プラン：

| | |
|---|---|
| 1 | トピック<br>ピカチュー型のロボット |
| 2 | 製品の紹介<br>話し相手、遊び相手になってくれるロボット。 |
| 3 | 製品仕様<br>名前はハロピカ。2990 円。 |
| 4 | まとめ<br>いい友達になってくれますよ。 |

1 ① Takara Tommy の新製品がピカチュー型ロボットである。

2 ②「ハロー、ピカチュー」と言ってごらんなさい。

③ このロボットは振り向き、ピカチュー語で何かを言います。例えば「ピカピカ」、「ピカピ」などのように。

④ 簡単な単語で、このロボットと話をすることができます。

⑤ あなたのためにに歌ったり、なにかしら演技をすることができます。

⑥ 頭を振ったり、頷いたり、笑ったりします。

⑦ このロボットといると、本物のポケモンと遊んでいるような気持ちになります。

3 ⑧ このロボットは Hellopika と名付けられている。

⑨ Hellopika を使うためには、2 個の単 4 電池（two AAA batteries）が必要です。

⑩ 大きさは、横 7.5cm、縦 11.5cm、奥行き 4.5cm。

⑪ 値段は 2,990 円。

4 ⑫ もし人生に疲れたら、Hellopika はあなたのよい友達になるでしょう。

**Notes**

1 ①「ピカチュウ型ロボット」 a Pika-Chu-shaped robot
2 ③「振り向く」 turn　「ピカチュー語で」 in Pika-Chu language
④「簡単な単語で」 in simple words
⑤「何かしら演技をする」 do some performance
⑥「頭を振る」 shake its head　「うなずく」 nod
3 ⑨「２個の単４電池」 two AAA batteries (two triple A batteries)
4 ⑫「人生に疲れる」 be tired with your daily life

## C オリジナル・エッセイの作成

次のエッセイ・タイトルでエッセイを書いてみよう。

1. Introduce a car sharing service called “Anyca”.
    1. Introduction of the service.
    2. Explanation of this service
       You can earn money by renting out your car for one day or for a few hours. If you register your car with “Anyca”, the company introduces a person who wants to rent your car.
    3. Details
       You can rent out your car for 4,000-10,000 a day. Anyca will charge you 10%.
    4. Conclusion

2. Make up your own essay topic.

☆ 上のエッセイ・タイトルのうち、ひとつを選んで、エッセイ・プランを書いてみよう。

① 選んだエッセイ・タイトル [　　　]

② エッセイ・プランの作成

| |
|---|
| トピック |
| 製品の紹介 |
| 製品仕様 |
| まとめ |

Reading Graphs

14

# グラフを読む！

## ●エッセイ構成

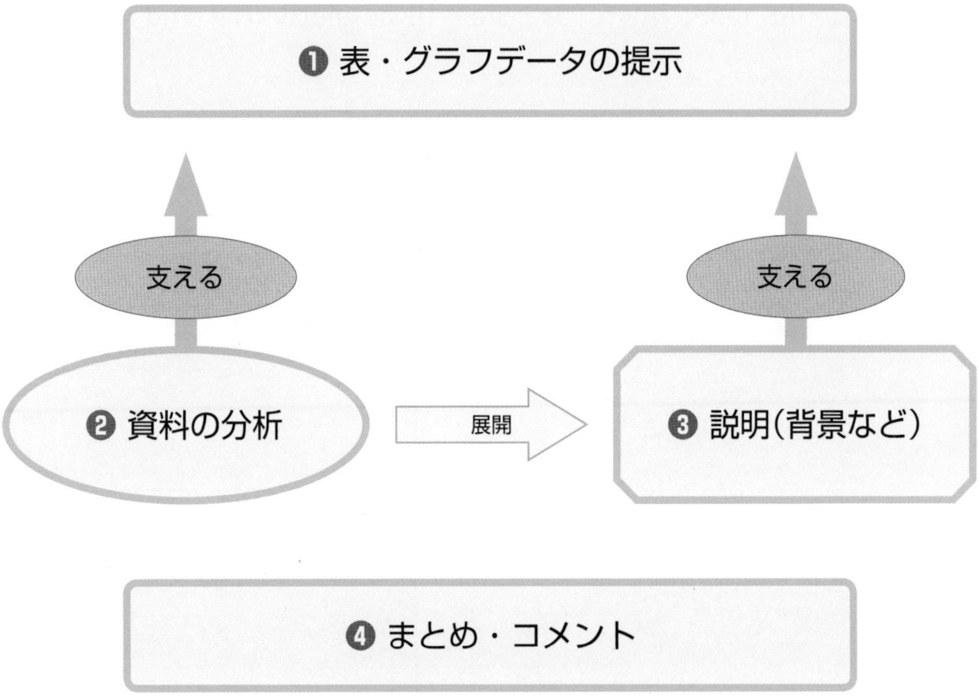


社会現象、科学現象などを説明する場合、または調査の結果を発表する場合、表やグラフを使うことは非常に有効です。表やグラフを英語で説明するスキルをここで練習します。

## A Model Essay

15

### Children study harder with encouragement

**1** This graph shows the relationship between how long a child studies a day and whether he has time to talk about his future with his parents.

**2** According to this graph, we can see a child who has time to talk about his future with his parents studies longer than a student who does not.

**3** This result shows that motivation is very important. If you talk with your child about his future, he will be motivated and will study harder.

**4** If your child is not good at school work, just talk with him.

上のエッセイを読んで、次の表を完成させ、ポイントを整理しなさい。

① 何を表すグラフか？

② グラフから言えること

③ 付加情報・背景

④ まとめ

**Notes**

encouragement 励まし

3 motivation 動機　motivate 動機づける

**The relationship between how long a child studies and whether he has time to talk with his parents about his future**

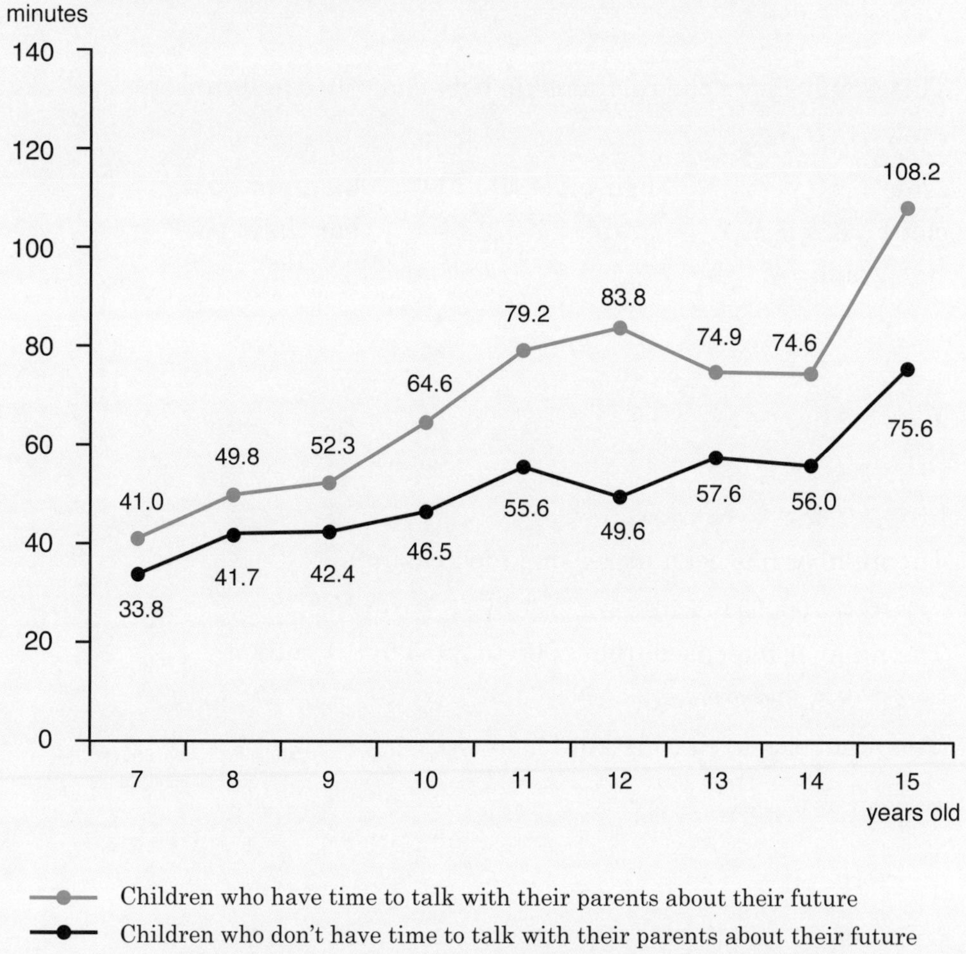

## Useful Expressions

### 1 何を表すグラフか？

**1.** 「このグラフはコーヒーと癌の関係を示している」
This graph shows the relationship between coffee and cancer.

**2.** 「グラフ・表の種類」
table「表」　figure「図」　diagram「図表」
chart「図表」　graph「グラフ」　bar chart「棒グラフ」
line graph「折れ線グラフ」　pie chart「円グラフ」

### 2 グラフの描写

**1.** 「〜の増減の表現」
「その数は増えている（減っている）」
The number has been increasing (decreasing).
「その数は2000年から2015年までの間に1千万増えた」
The number increased from 2000 to 2015 by 10 million.
「その数は5年間かわらなかった」
The number stayed constant for five years.

### 3 グラフの分析・背景

**1.** 「この結果は、動機付けが非常に重要だということを示している」
This result shows that motivation is very important.

**2.** 「この傾向には幾つかの理由がある」
There are some reasons for this trend.

### 4 まとめ・コメント

**1.** 「この傾向が続くと深刻な問題を引き起こすだろう」
If this trend continues, it will lead to a serious problem.

## MEMO

## B Writing Task

日本語に従って、次のエッセイを英語にしてみよう。下のエッセイプランを参考にしながら書いてみよう。

**Essay Title:** The number of children in a household is decreasing

エッセイ・プラン：

| |
|---|
| 1 何を表すグラフか？<br>１世帯における 12 歳以下の子供の数。 |
| 2 グラフから何が言えるか？<br>世帯の中の子供の数は絶えず減少中。子供のいない世帯は増加中。 |
| 3 背景<br>夫婦だけで生活を楽しむカップルの増加、一人暮らしを選ぶ人の増加、一人暮らしの老人の増加。 |
| 4 まとめ<br>この結果は日本社会の問題を反映している。 |

**The number of children under 12 in a household**

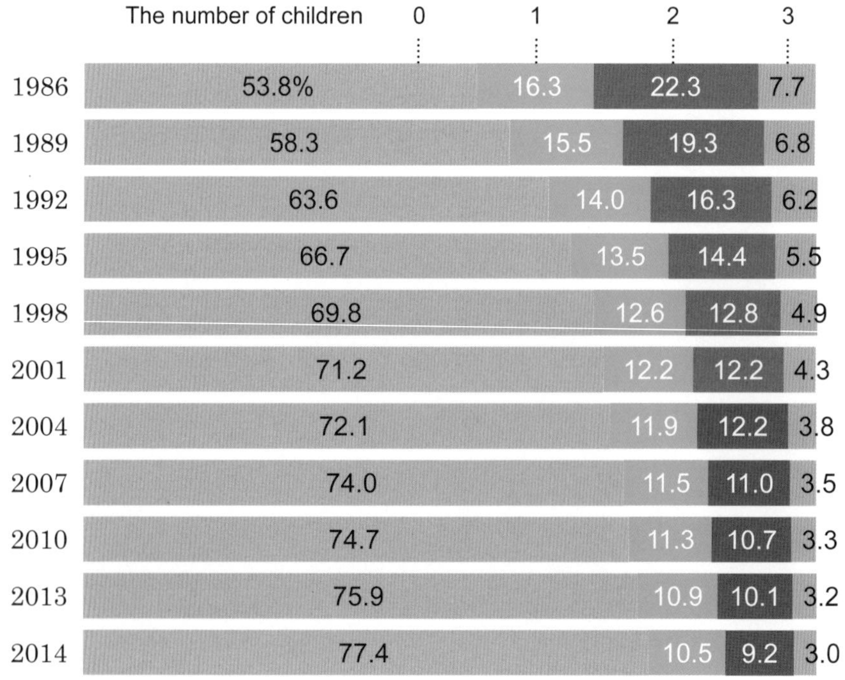

1 ① このグラフは一世帯の中の 12 歳以下の子供の数を示している。

2 ② このグラフによると、一世帯あたりの子供の数は常に減少している。

③ 同時に、子供のいない世帯数は増えている。

3 ④ この傾向にはいくつかの理由がある。

⑤ 最初の理由は現在、たくさんのカップルが子供のいない生活を楽しんでいるからである。

⑥ 第２の理由はより多くの人が一人で住むことを選んでいることである。

⑦ 第３の理由は一人で住む老人の数が増えていることである。

4 ⑧ この結果は私たちの社会における問題を反映している。

**Notes**

1 ①「12 歳以下の子供」 children under 12　「世帯」 a household
2 ②「常に」 constantly
③「同時に」 at the same time
3 ④「傾向」 trend
⑥「一人で住む」 live alone
4 ⑧「反映する」 reflect

## C オリジナル・エッセイの作成

次のエッセイ・タイトルでエッセイを書いてみよう。

Write an essay to explain the following graph.

1. This graph shows the percentage of people who have trouble understanding new words.
2. The percentage of people who can't understand new words was around 42% from 1999 to 2010. It has been increasing since 2010.
3. The increasing use of the Internet is the main cause?
4. Conclusion.

＊3と4段落を完成させなさい。1と2はそのまま使ってよい。

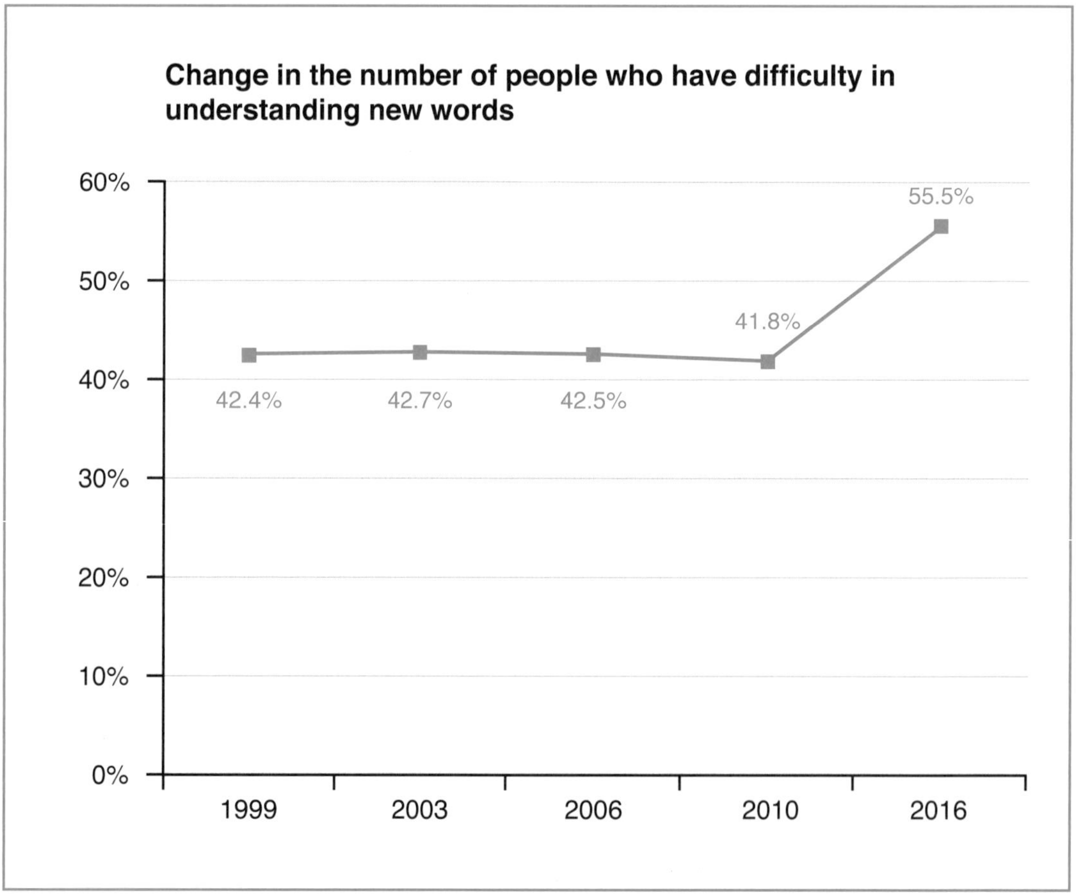

### エッセイ・プランの作成

| |
|---|
| 何のグラフか？ |
| グラフからわかること |
| 背景・詳細 |
| まとめ |


参考文献

12. Research

A. "The record number of single fathers in U.S."
Gretchen Livingstone, "The Rise of Single Fathers," Pew Research Center, July 2, 2013.

14. Reading Graphs

A. http://benesse.jp/kyouiku/201203/20120322-1.html

B. https://berd.benesse.jp/berd/data/dataclip/clip0012/index.html

C. https://news.yahoo.co.jp/byline/fuwaraizo/20171007-00076557/

Skills for Better Writing
＜Basic＞



**Skills for Better Writing <Basic>** [B-911]
構文で書く英文エッセイ〈初級編〉

1刷　2020年2月10日
3刷　2023年3月31日

著　者　石谷　由美子　Yumiko Ishitani

発行者　南雲一範　Kazunori Nagumo
発行所　株式会社　南雲堂
〒162-0801　東京都新宿区山吹町361
NAN'UN-DO Co., Ltd.
361 Yamabuki-cho, Shinjuku-ku, Tokyo 162-0801, Japan
振替口座：00160-0-46863
TEL: 03-3268-2311（営業部：学校関係）
03-3268-2384（営業部：書店関係）
03-3268-2387（編集部）
FAX: 03-3269-2486

編集者　加藤　敦
装　丁　N スタジオ
組　版　Office haru
検　印　省　略
コード　ISBN978-4-523-17911-5　C0082

Printed in Japan

E-mail nanundo@post.email.ne.jp
URL https://www.nanun-do.co.jp/